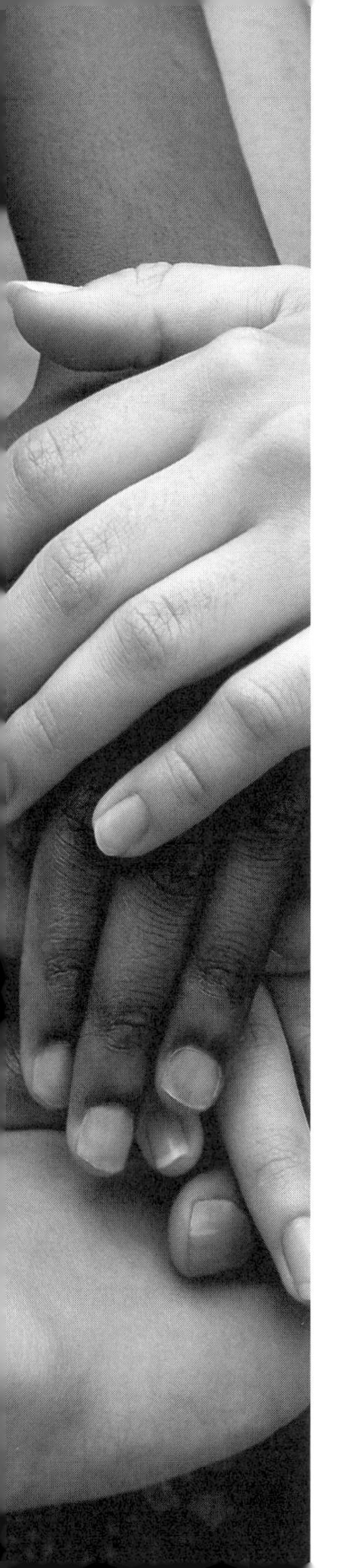

コロナ禍と格差社会からの再生

連帯の時代

伊藤千尋

はじめに

今の日本には「無気力」が蔓延（まんえん）している。自己責任と自粛を押し付けられ分断され孤立すると、何をしても無駄だ、どうせ世の中は変わらないとあきらめがちだ。いや、違う。あきらめない人々によって、世界は確実に変わっている。「自立」と「連帯」によって。その大きな流れを実感したのが、東欧革命を検証するヨーロッパへの旅だ。

なだらかな緑の草の斜面を滑り落ちる風が、くぼみに立つ白い野外の舞台に吹き付ける。欧州の北西の端、バルト三国のエストニアにある「歌の原」。1988年、この草原を埋めた30万人もの人々が独立を求めて合唱した。

その1年後の1989年、「百塔の街（ひゃくとうのまち）」と呼ばれる中欧チェコの首都プラハの広場に私はいた。ここにも30万人の人が集まって革命の勝利集会を開いた。30年後の2019年に同じ場所に立つと、当時の地鳴りのような拍手のどよめきを耳が覚えている。

涙を流しながらVサインを掲げる30万人の人々に周囲を包まれたあのとき、「連帯」という言葉を体感した。名もない人々が勇気を振り絞り手をつないで圧政に抵抗したとき、歴史を変えることができる。

世界が民主化している時代に、私たちの日本では民主主義とは対極の政治が進んだ。政府が憲法を解釈で変え、法律を無視し、資料を改ざん、破棄した。

歴代最長となった政権が独裁の様相を強め、２０２０年内に憲法を変えると公言した。その年、世界を襲ったのが新型コロナ禍だ。政府は何一つ有効な対策をせず、ひたすら国民に自粛を願うだけだった。国民の願いに反した政治を行い、国民の反発を恐れてひたすら強権支配を続ける姿は、１９８９年に起きた東欧革命以前の旧東欧諸国の独裁政権を思わせた。

感染症をもたらした大きな理由の一つが気候変動だ。コロナ禍の前から世界に災禍(さいか)をもたらす気候変動の脅威が叫ばれた。スウェーデンの少女グレタ・トゥンベリさんは、１５歳のとき地球温暖化対策を訴え、自国の国会前で座り込みをした。

「絶滅を前にしているのに、あなたたちはお金のことと、経済発展がいつまでも続くというおとぎ話ばかり」という主張は、世界に共感を呼んだ。彼女の呼びかけに応えて２０１９年、世界の４００万人がデモを繰り広げた。

その動きはあたかも、それからちょうど３０年前に起きた「ベルリンの壁崩壊」に至る東欧革命を思い出させた。最初は一人、あるいは数人に過ぎなかった小さな市民の力が、膨大な人々の共感を誘い、ついには大きな抗議行動となって政治を動かす。

いま、私たちがいるのは、このような「連帯」の時代だ。

目次

高級車ランボルギーニがパトカーに＝ボローニャで

第1章
自立と連帯の社会
――イタリア――

1　白いマックのローマ

■「コロナ」に音楽で対抗

コロナ禍がヨーロッパに及んだ時、猛烈な勢いで感染者、死者を出したのがイタリアだった。無理もない。イタリア人は街角で知人に会えば男女を問わず、お互いの頬(ほお)をくっつけて挨拶をする。口先でチュッ、チュッとキスのように唇を鳴らす。それでもたりないとばかり、思い切りギュッと抱き合う。顔をくっつけんばかりに近づいてささやき、唾を飛ばしながら激しく議論する。マスクをつけると話しづらいし、表情を隠すので相手に失礼だと嫌がる。新型コロナがあっという間に広まったのは、日ごろの人間関係が親密だからだ。

おまけに規制されることが大嫌いな国民性だ。俗に「イギリスは禁じられたこと以外は何でも許される国、ドイツは許されたこと以外は禁じられる国、ソ連は許されたことも禁じられる国、そしてイタリアは禁じられたことも許される国」と言われてきた。イタリア人が二人出会えば、手を振り回し大声で派手に話す。「イタリア人を静かにさせたいときは手を縛れ」と言われるほどだ。

だから厳格なロックダウン（都市封鎖）で外出が極端に制限されたとき、大いにとまどった。それでも何か表現せずにはいられない性格だ。アパートの窓やベランダから人々がギターやタンバリンを持ち出して歌った。音に気づいた近所の人々がすぐに向かいや横のアパートのベランダに現れ、いっしょに歌い合った。その映像を見た日本人から「イタリア人とは音楽がなければ生きていられない人たちだ」と、あきれると同時に感嘆する声が上がった。

不安におののいていても、持ち前の陽気さでやり過ごそうとするのが彼らの流儀である。コロナ禍に打ち勝つための合言葉も生まれた。「アンダラ・トゥット・ベーネ（すべてうまく行くさ）！」。なんら根拠もないのに、なんとかなるさと考える楽観性。それもイタリアンの持ち前だ。自殺やノイローゼに縁が薄く、「芸術は生まれるが、哲学は生まれない」と言われるのも納得する。

一方で、日ごろから助け合いの精神が旺盛だ。地方の町では町役場が募金を呼びかけ、集まったカネで食料を貧しい世帯に配った。パン屋さんは毎朝、焼き立てのパンを町役場に届け、町の職員がそれを貧しい家に配りに行った。「連帯のショッピング・カート運動」も生まれた。食料品店に置かれた籠や箱に町民が買い物の中から心づくしの食料を入れる。集まったところ

ボローニャの街角のチーズ・ハム屋さん。
この店の雰囲気にもイタリア風の明るさがあった

で街の職員が貧困家庭に配る。困ったときはお互い様、と住民同士が助け合うのだ。住民の動きに役場も一枚かむのがミソである。お役所も人間的なのだ。

恐怖のさなかに高校の校長先生が生徒に書いた手紙が話題になった。「見えない敵に、いつ襲われるかわからない恐怖にとらわれると、同じ人間をむやみに脅威に感じるものです。私たちの貴重な財産――社会組織や人間性を守るには、理性的な思考を持ってください」。イタリアの教育者もまた人間的だ。

■「コロナ」から人々を守った自治体

イタリアでの最初の感染者は、中国からローマに来た観光客夫婦二人だった。国内で感染して死亡した最初の犠牲者は78歳の男性だ。イタリア北部のベネチアを州都とするベネト州の小さなボ村のバーの客で、発症して入院するとその日のうちに亡くなった。いっしょにいた客８人も感染した。イタリアでは大都市にも小さな村にも、地域住民がワインなど飲みながら世間話をしたりいっしょにサッカーを見たりする場がある。このバーもそうした憩いの場だった。

地方の寒村にいきなり災いが降りかかった。普通なら村人は驚きあわて、なすすべもなく混乱するだろう。この村が優れているのは、村独自の判断で直ちに対策をとったことだ。マルティーニ村長はすぐにバーや公共施設を閉鎖した。２日後には村に通じるすべての道路を封鎖した。感染が持ちこまれないと同時に、感染を広げないための手を打ったのだ。

ベネト州の知事も素早かった。州の感染症の専門家を動員してボ村の全員、３３００人のＰＣＲ検査を実施した。検査が始まったのは、最初の犠牲者が出てからわずか２日後である。いかに迅速にことを運んだかがわかる。イタリア人を侮ってはならない。最初の検査で村民の約３％が陽性だとわかり、直ちに隔離した。うち４割以上が無症状で、検査をしなかったら村中にコロナが広まるところだった。検査は全州規模で行われ、感染が確認された人は州内１０ヵ所のコロナ患者専用に指定したセンターに隔離し治療した。

この取り組みで注目されるのは、イタリア政府の方針に反していたことである。政府の方針は「疑わしい症状のある人、中国に渡航したことのある人」だけが検査の対象だった。政府に従っていたら、村の死者は途方もない数に上っていただろう。現に隣のロンバルディア州の感染者はベネト州の5倍、死者は8倍に上った。一般住民への検査を行わなかったロンバルディア州では、疑わしい症状の住民が病院に押し寄せたため、医療従事者が感染して医療崩壊が起きた。さらに無症状の感染者が高齢者の施設に感染を広げ、集団感染が起きたのだ。

日本の地方自治体の大半は、ロンバルディア州のような対応をするだろう。あえて政府の方針とは違う独自の対策を即断即決し、直ちに実行したボ村とベネト州。その行為が「ベネトモデル」として称えられた。

このように中央政府に何から何まで従うのではなく、小さな地域の自治体レベルで独自に判断し果敢に実行すること。それこそがイタリアの大きな特徴なのだ。一言で言えば「自治」である。

■戦中から戦後が始まった

「イタリアに行ってみませんか?」。天使のささやきを聞いたような気がした。東京の富士国際旅行社が「ジャーナリスト・伊藤千尋さんと行くイタリア」というスタディツアーを企画したのだ。副題は「ボローニャのまちづくりとスローフード」だ。井上ひさしさんが書いた『ボローニャ紀行』(文藝春秋、2008年)のあとをたどってイタリア北部の街ボローニャの自治への取り組みを見学する。さらに「花の都」フィレンツェでルネサンスの美術を鑑賞し、スローフードが生まれたトスカーナ地方で食文化を楽しもうという、聞いただけでよだれが垂れそうな8日間の旅である。

しかし、正直言って私の関心は美術でも食文化でもなかった。一言で言えば「連帯の精神」を探りたかった。それには理由がある。

日本とドイツの戦後史を比較すると明らかな違いがある。ドイツは戦前をきっぱりと捨てて新たによみがえったのに、日本は戦前を引きずった。ドイツはナチスに関わった者をいまだに許さない。戦前の新聞はすべて消え、戦後に新しいメディアが発足した。一方の日本では戦前の政治家が戦犯も含めて残り、新聞も戦前の会社を引きついだ。これではいくら戦争の反省から再出発したと言っても、戦前の体質が残るのは当たり前だ。戦前と決別しゼロから再出発したドイツは、いかにも潔い。

ドイツと同じく日本が三国同盟を結んだイタリアについて私は当初、あまり関心がなかった。戦争の途中で戦線を離脱したことから、軟弱でだらしないという印象が強かったからだ。しかし、なぜ離脱したのか、その歴史を調べているうちに愕然(がくぜん)とした。

イタリアの独裁者ムッソリーニは、戦争中に「無謀な戦争はやめよう」と考える軍人や側近たちによって逮捕された。独裁者に反抗する勇気ある人々がいたのだ。それを知ったドイツ軍はムッソリーニを救出して、新たな政権を立ち上げイタリアを支配した。しかし、イタリア軍の兵士や一般の住民は武器をとってドイツ軍と戦い、彼らに勝って連合軍が来る前に自力でイタリアを解放したのだ。驚くではないか。戦時中に一般の人々が自分の意思で権力に対して立ち上がったのだ。

日本と比較すると、その違いが判る。日本は国民を挙げて終戦のその日まで、天皇陛下万歳と唱えた。ごく少数の勇気ある人は反戦を唱えたが、すぐに投獄されてしまった。戦争末期になると敗戦は明らかだと感じた人がかなりいたけれど、おおっぴらには言い出せなかった。口にすれば「非国民」とののしられて孤立し、身が危うくなる。それを恐れて口をつぐんだ。軍部を率いた東条英機（ひでき）も終戦間際に元首相ら重臣によって首相を退陣させられたが、彼自身は重臣として最後まで戦争遂行を唱え、敗戦を迎えた。

ところが一般には「軟弱」とか「ノー天気」とか言われるイタリア人は、政府に敢然（かんぜん）と反旗を翻（ひるがえ）して立ち上がった。しかも武器をとって、あの強力なナチスの軍隊を打ち負かしてしまった。戦争を途中で放り投げた意気地（いくじ）なしという評価が日本で定着していたが、とんでもない。国民の個人レベルで言えば、イタリア人はとてもしっかりしている。

さらに気づいた。日本の戦後は終戦の日から始まるが、イタリアはすでに戦争中から戦後の取り組みを開始していたのだと。戦後にようやく「戦後」が始まった日本と、戦争中から「戦後」を始めたイタリア。この違いはどこから来るのだろうか。

■水晶のようなパルチザン

「さらば恋人よ」というイタリアの名高い歌がある。

ある朝　目覚めて　さらばさらば　恋人よ
目覚めて　われは見ぬ　攻め入る敵を
われをも　連れ行け　さらばさらば　恋人よ
連れ行け　パルチザンよ　やがて死す身を
……

（訳は東大音感合唱研究会）

パルチザンとは正規の軍隊ではない、民衆の自発的な武装組織だ。非正規の武装組織をスペインではゲリラと言い、イタリアではパルチザンと呼ぶ。この歌は、街を占領したナチス・ドイツ軍と戦うため、パルチザンのメンバーとなって山に立てこもりに行く若者が恋人に別れを告げる歌だ。このあとには「私がパルチザンとして戦死したら、死体を山奥に埋めてくれ。たくさんの人たちが通り過ぎたら、美しい花とは何なのかをあなたに教えてくれるだろう。これは自由のために死んでいったパルチザンの花なのだ」という歌詞が続く。

その激しく情熱的なメロディーは、いかにもイタリアで生まれた歌だと感じさせる。軍歌が恋の歌であるところもまた、イタリアらしい。

パルチザンがどんな生活をしたのか。それは20歳でパルチザン兵士となったイタリアの作家イタロ・カルヴィーノの作品群にいくらでも出てくる。『くもの巣の小道』（米川良夫訳、福武書店、1990年）には「みながみな、てんで違った恰好をしていて、いろいろの銃やら薬莢帯やらをぶらさげているのだ。それは兵隊と言えばそう思えなくもない。……軍服も靴もぼろぼろなら、髪も髯もぼうぼうに伸ばしたままで……」という、まるで敗残兵のような姿として描かれている。

一方で「たとえぼくら自身を解放してくれることはなくても、ぼくらの子供たちを解放して……はればれとした、悪者なんぞのあり得ないような人間性をつくりあげる役には立つんだ……われわれは自分自身をとり戻すために、彼らは奴隷であり続けるために。これが闘いの意味なんだ」と、その存在意義を述べている。「ぼくら自身を解放してくれることはなくても」

ということに、自分たちは犠牲となって、次の世代のために人間性に満ちた社会を作り出そう、そのための捨て石になろうとする覚悟が見える。

服装こそボロボロだが、水晶のように透き通った気高い精神を持つ人々だったのだ。カルヴィーノは、パルチザンのリーダーがドイツ軍に殺されたことを知って武装闘争に入る決心をし、弟とともに「ガリバルディ」第2襲撃師団に加わった。彼が活動したアルプスの山中でのゲリラ活動がどのような生活だったか。「言葉では言い尽くせない危険と困難をかいくぐってきた。牢獄(ろうごく)と逃亡を体験し、何度も死にそうになった」と後に語っている。事実、この山岳地帯の一帯には最初に結成されたパルチザンが立てこもり、1945年4月に北イタリアが完全に解放されるまで、最も凄惨(せいさん)でし烈な戦闘が繰り広げられた。

■ムッソリーニ逮捕の陰に

この歌を心の中で歌いながらイタリアに飛んだのは2019年4月だった。成田空港を午後1時15分発のアリタリア航空機に乗って12時間45分の飛行だ。乗っているのは半日以上だが、時差が7時間ある。ローマに着いたときはその日の午後7時だった。これだけ機内で時間があるのだから、お勉強をしよう。

お勧めは『ムッソリーニを逮捕せよ』(新潮社、1989年)という本だ。ムッソリーニを失脚に追い込んだキーパーソンであるカステッラーノ将軍を克明に追った書である。著者は毎日新聞のイタリア特派員だった木村裕主（ひろし）さん。昭和元年の生まれである彼は、敗戦の年に19歳で召集され、戦車を自爆攻撃する演習に明け暮れた。彼を含め当時の日本人は、早々と戦線離脱したイタリアを「裏切者」と非難し、日本人は国が焦土となっても竹やりで抗戦するという決意を固めていた。

ところが、戦後に新聞社の特派員となってイタリアの歴史を現地で調べた彼は驚いた。イタリアの早期休戦は参謀本部の40代の若い将軍が一人で連合軍と調印したものであり、その動機は「この戦争はムッソリーニが始めたもので、国民が決めたのではない。国民が犠牲になるばかり。こんな戦争はやめてしまえ！」ということだというのだ。

木村さんにとって「『決死抗戦』の日本人の精神構造と、『早期休戦』による救国、というイタリア人の論理との鮮やかな対照」は大きなカルチャーショックだった。そして「日本が神がかりと狂気の日々を過している時、イタリアには醒（さ）めた目を持つ群像が存在した」ことに尊敬の念を抱いた。

救国、救民の英雄となったのは、ジュゼッペ・カステッラーノ将軍である。戦局が不利になりかけていたころ参謀本部に加わった。彼は「ムッソリーニは当初のヒットラーの常勝ぶりに目がくらみ、参戦という大誤算を犯してしまった」と確信する。

「常勝ぶりに目がくらんだ」のは当時の日本も同じだった。勝ち馬に乗ろうとした点で、ムッソリーニも日本軍の中枢も同じ発想だった。違いは、イタリア軍には「醒めた目の将軍」がいたが、日本にはいなかった、あるいはいてもそれを行動に移せなかったことである。その違いが、国を救うか破滅に向かわせるかの大きな差となって現れる。

もちろんカステッラーノ将軍も、やすやすと実行できたのではない。誰にも言えずに悶々（もんもん）としていたところに、外務大臣チアーノ伯から相談を受けた。海外を渡り歩いた職務柄、情報を多く持ち、戦争より交渉を望むチアーノ伯だ。このままなら敗北は必至と考え、軍事的観点から将軍に率直な意見を求めた。

チアーノ伯はムッソリーニの娘婿である。独裁者に最も近い存在だ。権力者の身内でさえ内心はこう考えている。今の状況をおかしいと思っているのは自分だけではないと、カステッラーノ将軍は勇気づけられた。ムッソリーニの逮捕を言い出したのは、実はチアーノ伯である。彼はのちにドイツの占領軍に逮捕され、反逆罪で銃殺されてしまう。

新任の参謀総長も骨のある人だった。ムッソリーニに戦況を隠さず、「もはや勝ち目はない。ファシズムは日増しに国民から憎まれています」と実直に報告した。それでも戦いをやめようとしないムッソリーニの逮捕計画を立案したのがカステッラーノ将軍だ。

■とどろく平和万歳の声

ムッソリーニに対する反乱は政治の舞台でも表面化した。連合軍がシチリア島に上陸し首都ローマが爆撃されるようになると、さすがにムッソリーニの権威は揺らいだ。今後の方針を決めるため、ファシスト党幹部と閣僚らで構成するファシズム大評議会が招集された。その場でムッソリーニを批判したのが、ファシスト党の大幹部グランディ下院議長である。

彼はズボンの中に手りゅう弾2発を隠し、いざとなればムッソリーニを巻き込んで自爆する覚悟のうえで発言した。「最も大切なことは、政権、我が党、我々個人を救うことではない。イタリアを救うことである！」と。命をかけた迫力に他のメンバーも同調し、投票でムッソリーニが持つ軍の統帥権は国王に返還された。その報告のためにムッソリーニは国王の別荘を訪れた。別荘を出たムッソリーニを兵士が救急車に押し込めて連行した。

手に汗を握るような、まるで小説を地で行くような展開である。命をかけた何人もの意志と行動が歴史を変えたのだ。

このあとカステッラーノ将軍は休む間もなく中立国ポルトガルをひそかに訪れ、連合軍と交渉した。さらに連合軍が占領していたイタリア南部のシチリアに行き、連合軍最高司令官のアイゼンハワー将軍に面会した。カステッラーノはイタリアを代表して「休戦」という名の降伏文書に署名した。これでイタリアの運命は決まった。1943年9月8日、国王は休戦をラジオで発表し、ローマの街には「ビーバ・ラ・パーチェ（平和万歳）！」と喜ぶ市民の声が響いた。

その一人に、先に紹介した作家イタロ・カルヴィーノがいた。彼はイタリア北西部の町、音楽祭で名高いサンレモの自宅で休戦を知った。「街頭で誰かが〈平和が来た！〉と大声で叫んだからです。よかった！ と思いましたが、数日後には街にドイツ兵が大勢やって来ました。それから2年近く、解放の日までナチ・ファシスト支配下で過しました」とラ・レプブリカ紙（1983年9月7日）に語っている。ここから彼自身の2年間のパルチザンとしての戦いが開始したのだ。

■全員投票でドイツ軍に抵抗

そのとき60個師団、170万人のイタリア軍兵士がイタリア国内や国外の戦場にいた。国内の多くの兵士は、自発的に武器を投げだして故郷に帰って行った。ローマの軍司令部の将軍が翌日、ミラノの方面軍司令部に電話すると、「ここには誰もおりません」という返事だ。指揮官たちはただ呆然(ぼうぜん)とするだけだった。

これを見てもイタリア人は、組織の決定を待つのでなく個人が自ら判断する人々であることがわかる。「ソリストはいるが指揮者はいない」と言われるほど個人主義が強く、一人一人が自立した行動をとるのがイタリア人の国民性だ。

『なぜイタリア人は幸せなのか』（毎日新聞社、2003年）という本がある。「イタリア人が生き生きしているのは、一人一人の違いを社会全体が認めあい、一人一人が自分の個性を伸ばし、厳しい評価をされながらも好きな勉強や仕事を選び、競争ではなく、人間的な制度や人間的な精神で生きることの本質をしっかり摑まえ、暮らしているためだと私は思う。彼らは経済の勝者になることだけが幸せではないことや、人生は勝ち負けではないことを知っているのだ」と、著者の山下史路（ふみじ）さんは書いている。一人一人が自分の哲学を持っているから、いざというときに自分の行動を自分で決めることができるのだ。

中には軍隊の中隊がそのままパルチザンに転じた部隊もあった。国外にいた部隊は個人が勝手に行動するわけにはいかず、部隊単位で行動した。フランス領のコルシカ島を占領していたイタリア軍は、フランス人のレジスタンス勢力といっしょにドイツ軍と戦い、3000人の犠牲者を出しながら勝利して島を解放した。ギリシャに駐留していたイタリア軍の司令官はドイツ軍に降伏を申し出たが、部下の将兵が反対した。どうするかは上官が決めるのではなく、全員投票で決定することになった。投票の結果、ドイツ軍に抵抗することが決まり、1週間にわたって抗戦した。最後に生き残った4500人の将兵は捕らえられて全員、銃殺された。ナポりではドイツ軍から応援を求められた若いイタリア軍指揮官が「ドイツ軍のために私の部下を犠牲にはできない」と拒否し、胸を張ったまま射殺されたという。軟弱どころか、しっかりした価値観を持ち、凛として行動する強い人々である。

■白いマクドナルド

ローマで1泊し、翌日の午後の列車でボローニャを目指すことになった。午前中は時間があるので市内観光しようと、古代ローマ遺跡のコロッセオ、フォロ・ロマーノを歩き、映画「ローマの休日」で名高いスペイン広場にたどり着いた。オードリー・ヘプバーンが演じる王女がジェラートを舐めながら歩いたシーンが目に浮かぶ。

137段ある階段は上に行くと踊り場があり、寝そべることもできる。下の方ではベンチの代わりに座って休憩することもできる。しかし、休んでいる人はほんの少ししかいない。観光客がごみを散らかすため、この2019年から階段に座ったり寝そべったりすることが禁止されたのだ。ジェラートを舐めながら歩くと階段が汚れるからと、ジェラートの屋台を出すことも、それ以前から禁止になっていた。

スペイン階段の名は、すぐ近くにスペイン大使館があることから名付けられた。石畳の道を挟んで大使館の前に、豪壮な石造りの宮殿風の建物がある。その1階に見慣れた「M」のマー

ローマのスペイン広場にある、目立たない
マクドナルドの店。まるでモノクロの世界だ

クが、見慣れない色で表示してあった。ハンバーガーのマクドナルドだ。ただし、世界共通で赤字に黄色の「M」のはずが、ここでは黒地に白色で「M」となっている。本来は派手な色合いで遠くからでもわかるのに、近寄ってもまったく目につかない。マックの店だと認識するまでしばらく時間がかかった。

　ここは１９８６年に開店したマクドナルドのイタリア第１号店である。マックが進出するといううわさを耳にした市民は反発した。ローマ帝国時代からの古い建物が残る景色が、赤地に黄色のけばけばしいマークで台無しになってしまうと考えたからだ。市民の抗議に押されたマック側は、黒地に白の目立たないマークに替えざるをえなかった。このようにイタリア人は、世界に名だたる多国籍企業を相手にしても、堂々と主張する。

これだけなら日本でも例がある。京都市は景観条例で派手な看板を許さない。マクドナルドのマークは赤でなく茶色の地に黄色の「M」になっている。本来は派手なローソンやセブンイレブンなどの看板も、京都では白黒だ。街が哲学を持っているかどうかで、相手を取り込むか、取り込まれるかが決まるのだ。

■米軍基地も支配下に

イタリアは、相手が超大国のアメリカ政府であっても、取り込む。

日本は国内の米軍基地に治外法権のような屈辱的な姿勢を取り続けている。米軍基地が夜間訓練で騒音を出し有害物質を垂れ流し、米兵による犯罪まで引き起こしながら、日本の国内法が適用されない。半世紀以上も前の1960年に締結した日米地位協定が改定されないまま、植民地のような状態に甘んじている。

イタリアは違う。イタリアにも米軍基地があり1万2764人の米兵が駐留する（2018年現在）。1954年に基地施設使用の協定が結ばれたが、95年に「了解覚書」という新たな取り決めを結び、米軍基地をイタリア軍司令部の下に置いた。つまり米軍はイタリア軍の管理下にあるのだ。イタリアの司令官は「基地のすべての地域にいかなる制約も設けずに自由に立ち入る」ことができる。さらに米軍の訓練や作戦行動はイタリアの法律を守らなければならない。騒音は出せず、夜間飛行はできないのだ。市民の苦情が出れば、さらに騒音を減らさなければならない。米軍基地の航空管制は日本のように米軍が管轄するのでなく、イタリア軍が行う。

1998年にイタリア北部のアヴィアーノ空軍基地を飛び立った米海兵隊の軍用機が訓練中にロープウエーを切断し、ゴンドラに乗っていた観光客ら20人が亡くなる事故が起きた。イタリアの司法当局は現地でフライトレコーダーなどを押収した。これをもとに飛行高度や飛行時間などを以前にも増して大幅に規制した。米海兵隊はアヴィアーノ空軍基地から撤退した。

このあたり、日本と大違いだ。日本では米軍が事故を起こしても、現場で調査するのは米軍である。日本の警察は現場に市民が近づかないよう、周囲を警戒するだけだ。事故を起こされたのに責任を問うどころか、事故を起こした側が自分のための資料を集める手助けをする。

イタリアの米軍基地にはイタリア軍の司令官がいる。米軍が何か活動しようとするときは、必ずイタリア軍司令官にお伺いを立てなければならない。米軍基地にはイタリアの州レベルで地域委員会が設けられ、自治体からの要望はこの委員会を通じてイタリア軍司令官が対応する。飛行ルートの変更など自治体から要望があれば、イタリア軍がそれを米軍に要請し、米軍は受け入れるのが通例だ。

2018年に沖縄県の現地調査団がイタリアを訪れた。ロープウエー事故の際に外務大臣として対応したランベルト・ディーニ元首相は「米国の言うことを聞いているお友だちは日本だけだ。戦争が終わって何十年もたつが、これまで沖縄の米軍基地が（日本にとって）必要だったことはあるのか？　なかったのであれば、これからも必要ないのではないか」と、素朴かつ率直に語った。

　米軍に対して毅然（きぜん）とした態度に出るのは、ドイツも同じだ。ドイツでは米軍基地周辺の自治体の職員は自由に基地に立ち入りができる。沖縄の上空や東京の首都圏にかぶる横田ラプコンと呼ばれるような、米軍が規制する空域はない。日本は敗戦国だから米国に従うしかないと言う人がいるが、いつまで敗戦国根性でいるのだろうか。同じ敗戦国のドイツとイタリアはしっかり自立している。マックの進出を京都市が規制したように、日本政府も堂々と主権を主張すればいい。明治時代の日本政府でさえ欧米の列強を相手に堂々と外交でわたりあって不平等条約を変えさせたではないか。

　そんなことを考えているうちに、ローマ・テルミニ駅を午後2時15分に出発した列車は2時間15分かけ、午後4時半にボローニャ中央駅に到着した。

2　赤い街ボローニャ

■レジスタンス都市

ボローニャは「赤い街」と呼ばれる。実際、建物が赤いレンガで積みあがっているし、屋根も赤い。沖縄の赤瓦に似ている。高い場所から見下ろすと、空からトウガラシを振りまいたような赤い色に、町全体が染まっている。もしかしてボローニャは沖縄と緯度が似ているのかと世界地図をのぞいて驚いた。

ボローニャの緯度は、日本で言えば北海道の北部に当たる。ローマは青森と同じくらいだ。イタリア最南端のシチリア島が東京とほぼ同じ緯度である。沖縄は、はるか離れてアフリカの沖合の、日本国憲法9条の記念碑があるスペイン領のカナリア諸島と同じ緯度だ。

イタリアの北から南までの長さは、北海道の北端から鹿児島までの直線距離の、ほぼ半分でしかない。人口も日本の半分ほど。面積は日本の8割だ。こうしてみると日本が意外と大きいことがわかる。隣にアジア大陸があるため日本列島は小さく見えるが、ヨーロッパの規模からいえば日本は大国なのだ。

ボローニャが「赤い街」と呼ばれる理由はもう一つある。イタリア中北部の三つの州は「赤い三角地帯」と呼ばれる。ボローニャを州都とするエミリア・ロマーニャ州、トスカーナ州、ウンブリア州だ。「赤いベルト地帯」とも呼ばれる。共産党の支持が根強いからだ。パルチザンの根城ともなった。

ボローニャは「レジスタンス都市」と呼ばれた。とりわけパルチザンの力が強く、ナチス・ドイツ軍とイタリアのファシストの残党である黒シャツ旅団を市民の力で追い出し、自力で街を解放したからだ。

市の中心部の広大なマッジョーレ広場に面した市庁舎は壮麗(そうれい)なバロック様式で、見るからに重々しい。中央の正門の上にはボローニャ出身の教皇グレゴリウス１３世の石像がある。今、私たちが使っている太陽暦（グレゴリオ暦）を採用した人だ。

市庁舎の壁を横に長い長方形の巨大なパネル３枚が埋める。パネルには人間の顔の写真がびっしり整然と並んでいる。ボローニャで犠牲になったパルチザンの戦士たちだ。若者や中年の男性が多いが、若い女性や少年、白髪の老人もいる。兵士の姿をしているのは、ファシストの兵士からそのままパルチザン戦士になった人だろう。顔の下に名前がある。写真がない人は、

ボローニャ市庁舎の壁に掲げられた、
パルチザン兵士の犠牲者の写真

写真の代わりに交差する花束に囲まれた星のマークが描いてある。

パネルの傍（かたわ）らに説明があった。「ナチスの暴力によって虐殺された大勢の子どもたち、女性たち、男たちに対し、そしてすべての人々に、ボローニャは深い哀悼と謝意をささげる。彼らの死は市民の独立と人類の平和と社会正義にかなった社会の到来のため、かけがえのない証言、警告となろう。自由のため崇高に戦った彼らを忘れまい」。

ここに掲げられた人々の数は２０００人を超す。ボローニャでパルチザンに参加した人々は１万４４２５人、戦死したのは２０５９人、銃殺されたのは２３５０人、強制収容所に入れられて亡くなったのは８２９人という記録が残っている。

現在のボローニャ市の人口は約３５万人だ。当時はもっと少なかったろう。かなりの割合の市民が自由を求める戦いに身を投じたのだ。遺影が飾られたこの場所は、ドイツ軍が捕らえたパルチザンを銃殺した場所でもある。

■労働者の国

市庁舎前のマッジョーレ広場で警察が交通安全の催しをしていた。パトカーが並んでいる。その中にひときわ変わったパトカーがあった。ランボルギーニだ（本書11ページの写真）。芸術的な流線形が世界で話題となった。創業者のフェルッチオ・ランボルギーニは近郊の農家の出身だ。ボローニャで機械工学を学び、戦時中は軍の車を修理した。戦後はトラクターの製造から身を起こして一躍、高級車を手掛けたのだ。それにしてもランボルギーニをパトカーに採用する、この国の警察の柔軟な発想に親しみが湧く。

ボローニャにはもう一つ、高級車の会社がある。マゼラーティ（マセラティ）だ。こちらの方が老舗（しにせ）で、1914年にボローニャで創業された。エンブレムはマッジョーレ広場に立つ海神ネプチューン像が持つトライデント（三つ又の矛）からとった。

両社とも大量生産を前提とした車ではない。少量生産で付加価値の高い、強力な個性を持つ芸術性の高い車だ。中世の職人に由来する手作業の伝統を生かした、いかにもイタリアらしい工業形態である。

自動車以外の工業も基本的に大企業型の大量生産ではなく、中小企業の分業とネットワークで多品種、少量生産を行ってきた。隙間産業など独自の分野を開拓し、ブランド価値を高める戦略だ。

そうなったのには理由がある。共産党が主導するパルチザンが自力で解放した「赤いベルト地帯」だったため連合軍、とりわけアメリカから嫌われた。このため戦後の復興資金がこの地方には投入されなかった。職人や中小企業は政府に頼ることができず、職人組合や協同組合を組織して助け合った。大きな銀行もなかったので、みんなで資金を出し合う相互扶助の精神が発達した。

労働を重視するのはボローニャだけでなく、イタリアの精神である。イタリア憲法の第1条は「イタリアは労働に基礎を置く民主的共和国である。主権は、人民に属し」（以下、憲法訳文は『世界の憲法集〔第五版〕』〈畑博行・小森田秋夫編〉有信堂、2018年）となっている。イタリアそのものが労働者の国と位置づけられているのだ。さらに第4条で「共和国は、すべての市民に労働の権利を承認し、この権利に実効性を与える諸条件を整備する」とうたう。これだけとっても、労働という概念を国家のレベルでいかに重視しているかがわかる。さかのぼると1282年の都市国家フィレンツェ憲法にある「働く者が統治する」に行きつくという。

ちなみに憲法第11条を見ると、こう書いてある。「イタリアは、他の人民の自由を侵害する手段および国際紛争を解決する方法としての戦争を否認する」。この「否認」を「放棄」と訳す学者もいる。どこかで聞いた文句ではないか。日本国憲法9条とよく似ている。日本国憲法の翌年に作られたのだが、日本の憲法をまねたわけではない。両方ともこの部分は国連憲章にのっとっているから共通しているのだ。

井上ひさしさんが『ボローニャ紀行』で「騙(だま)されたと思って、ボローニャの産業博物館においでになってください」と書いているので、本当にだまされたと思って訪ねた。レンガ工場を改造した建物だ。ここで生まれた紅茶や薬の包装機械など精巧な機械が並ぶ。職人の技にして初めてできるような、からくり人形を思わせる機械ばかりだ。

中でも絹を紡ぐ巨大な円筒形の木製の紡績機は見ものだ。膨大な数の歯車が回りながら、見る見る糸を紡ぐ。井上さんは「あんまり見事でおもしろいので、わたしは一時間はたっぷり見入ってしまいました」と書いている。凡人の私は5分であきてしまった。そこに1時間をかけるのが作家ならではだろう。もっとも単なる誇張かもしれないが……。

資料を読むと、15世紀から18世紀にかけてこの街は「絹の街」だった。当時の人口6万人のうち2万人が絹産業に従事していた。絹製品はヨーロッパ中に輸出され、フランスのマリー・アントワネットもボローニャ製の絹のかぶりものを愛用していたという。この紡績機は水車を利用し水力で動く。水は運河を作って川から引いた。水位を変えて船が通行できるための閘門を設計したのはレオナルド・ダ・ヴィンチだ。

「絹の街」と聞くと、はるかシルクロードを思い浮かべる。古代ローマ時代に唐代の中国・長安とローマを結んだのがシルクロードだった。東洋からはるばる運ばれた絹はイタリアに根づいた。古代ローマ帝国が滅んだのち約1000年を経て蘇り、イタリアからヨーロッパ全域へと広がった。新たなシルクロードの起点となったのが、このボローニャだったのだ。そう思うと感慨深く、もう一度、紡績機の前に立ってしげしげと見つめた。5分だけど……。

■学生が大学をつくった

マッジョーレ広場から東北に少し歩くと、石畳の道に面して宮殿のような荘厳な建物がそびえる。ボローニャ大学だ。ヨーロッパ最古の大学である。誕生が1088年というから、日本では武士がようやく登場する平安時代末期だ。世界最古の高等教育の場は紀元前7世紀の古代インドのタキシラの僧院だと言われる。古代ギリシャには紀元前4世紀にプラトンが創建し哲学や数学を教えたアカデメイアがあった。これらは歴史の中に滅びた。ボローニャ大学は違う。1000年近くの歴史を刻み、21世紀の今も10万人の学生が学ぶ「生きた歴史」だ。過去の学生にはガリレオやコペルニクス、ダンテもいる。

目の前にそびえるのは、ボローニャ大学で最初の大学棟となったアルキジンナジオ館だ。ラテン語で「アルキ（最高の）ジムナジウム（学校）」、最高学府を意味する。街のあちこちに分散していた学部を統合するため建てられたのが1563年。これとて日本は戦国時代で、上杉と武田の川中島の戦いの2年後である。その建物が今もごく普通に使われている。もっとも、今は大学でなく市立図書館となって、より多くの市民に利用されている。

入ってみよう。狭い石段を上ると回廊だ。奥に大きな教室がある。部屋の真ん中に白い台が置かれ、壁に沿って周囲に椅子が並ぶ。正面には講演台がある。ここは解剖学教室だ。1637年にできた部屋である。日本で『解体新書』が刊行されたのが1774年だから、それより100年以上も前に、解剖を学問として教える仕組みがあったのだ。

ボローニャ大学の解剖学教室

大学誕生の経緯はこうだ。イルネリウスという法学者がボローニャでローマの市民法を研究した。彼に法学を学ぼうとヨーロッパ各地から学生が集まった。法学者が育ち、学生たちが学者を雇い報酬を渡して講義を受けた。学者は自前の教室や教会で教えた。講義の言葉はラテン語だ。校舎を統合するまでの500年ほど、正式な校舎はなかった。この大学は校舎ができてから学生を集めたのではない。学生がいるところが大学だったのだ。

学生が主導権を握っているから、学長も学生である。講義に遅刻した教授は、学生が叱責した。同郷の学生同士で「国民団」を作って助け合い、「国民団」が集まって「大学団（ウニヴェルシタス）」を結成した。これが大学（ユニバーシティ）の起源である。回廊の天井や壁におびただしい紋章の壁画や彫刻があるのは、歴代の学生たちが出身地を記したものだ。1158年に神聖ローマ皇帝が大学を自由に研究する場と認めて以来、学問の自由が広まった。

今の日本では、まず大学があって、教授がいて、学生を募集する。本家本元は逆に学生が学ぶために教師を雇い、やがて建物も整備した。学ぶ意志を持つ人間が主体なのだ。ここから学生による大学の自治が誕生した。学生の自治会といえば、日本では大学側に学生の主張を示す労働組合のような組織だったが、出発の時点ではまったく逆なのだ。自治は大学から与えられたものではない。そもそも大学は学生の自治組織から出発したのだ。

実はこれもボローニャの特性だ。ボローニャ大学の直後に生まれたフランスのパリ大学は教会の学校が起源で、神学が中心だった。こちらは教師組合から発展したため教師が主体だ。この違いを見てもイタリア、とりわけボローニャにひときわ強い自治の精神がみてとれる。

■国をあげての協同組合

イタリアのキーワードの一つが協同だ。

イタリアはかつて北にさまざまな都市国家、中央にローマ教皇の権力、南はナポリやシチリア島に王国があった。近代になって統一し、1861年にイタリア王国を誕生させたのだ。リソルジメント（国家再興）といい、日本の明治維新に当たる。

国家統合の精神的な支柱となった思想家マッツィーニの理想は「万人による万人のための福祉と人類の進歩を実現するための協同組合」社会だった。日本の明治維新は国威発揚（こくいはつよう）を掲げたが、万人と人類を基礎に置くイタリアの方がはるかに人間的だ。一国家の枠にとどまらない理想社会を目指したスケールの大きさを感じる。島国の日本と、大陸の一部であるイタリアとの発想の違いが根底にある。

戦後に生まれたこの国の憲法第45条も「共和国は、相互扶助の性格を有し、私的投機を目的としない協同組合の社会的機能を承認する」と、協同組合を憲法にわざわざ特筆している。「協同」は今も昔も、イタリアの価値観だ。

協同と聞いてすぐに思い出す生活協同組合の発祥（はっしょう）はイギリスである。紡績業が盛んなマンチェスター郊外のロッチデールで1844年、工場労働者たちがロッチデール先駆者協同組合の店を設立した。これが世界初の生活協同組合だが、その10年後には早くもイタリアのトリノに、この国初の生活協同組合が誕生した。

イタリアの協同組合は商品購入の協同を越えて発展した。今や金儲け本位の新自由主義とグローバリゼーションがはびこる中、切り捨てられる社会的弱者の人間として生きる権利、労働する権利を求めるところから出発したのが社会的協同組合だ。かつて存在した地域の人々の相互協力の関係をもう一度作り直し、人々が社会的連帯の精神で新しい形の経済活動を成立させようとする。

その具体例を見よう。知的障がいを持つ子どもたちの職業訓練を行う半農半学の教育農園「コーパップス」だ。井上ひさしさんの『ボローニャ紀行』にも出てくる。理事長のロレンツォさんを待っていると、イタリアの高級自動車アルファ・ロメオに乗ってやってきた。「井上さんはよほど気に入ったのか、3度も訪れてくれました。井上さんの本を読んで20のグループが見学に来ました」と言う。

■障がい者のレストラン

きっかけは知的障がいのある子を抱えた親の訴えだった。障がい児を特別支援学校に隔離するのでなく普通の学校に入れてほしいという。市会議員の中に心理学者がいて、賛同し熱心に働きかけた。ボローニャ市は１９７５年、要望に沿って特別支援学校を廃止し、障がい児を普通の学校に入れるようにした。その動きは翌年、イタリア全土に広がった。これによって幼稚園から中学生まで、障がいのある子も普通の学校に通い、ほかの生徒たちに交じって学ぶことになった。８９年には高校もそうなった。

こうした場合、日本では障がいのない子の親から苦情が出そうだ。ロレンツォさんは「イタリアでも同じです。教育学者も交えて学校と親との相互理解の場を設けました。それによって親が納得したのです」と語る。問題が起きれば当事者と専門家が集まってとことん話し合い解決策を探る。それがこの国の流儀である。

コーパップスが生まれたのは１９７９年だ。障がいがある子が中学を卒業したあと働ける場所がなかった。ならば創ればいいと、職業訓練の活動をする中で学ぶ場がイタリアで初めて生まれた。

今、ここで６５人の障がい者が働きながら学ぶ。すでに４０年の歴史を持ち、周囲や国、欧州連合（ＥＵ）からも認められた。「規模を大きくするつもりはありません。地域と協力しあいながら、今の状態を保つことに力を入れます」とロレンツォさん。高校生が夏休みに２週間をここで過ごしながら共生について学ぶ研修コースもある。

コーパップスは農園で栽培した野菜や飼育した家畜を素材に、レストランも経営している。

イル・モンテの入口のタイル絵

丘の上の広大な畑の中にある山小屋風のレストランで昼食をとった。入口には子どもたちが描いた自分たちの肖像画がタイル絵となっている。中央にある青地に黄色のレストランの名「イル・モンテ（山）」の文字が鮮やかだ。アスパラのラザニア、ボロネーゼのショートパスタ、牛肉のロースト、肉やハーブを腸詰めしたサルシッチャ、ポテトのオーブン焼き、赤ラディッキオとベーコンのバルサミコ酢炒め、マスカルポーネ・チーズとラベンダーのビスコット……。給仕してくれたのはイングリッド・バーグマンのような面立ちの若い女性だ。無口だが場を見渡してテキパキと動く。その目が「ここにいて幸せよ」と物語っている。

豊かな社会とは、これを言うのではないか、と思う。胃だけでなく、心も満ち足りた。

■住民自治の精神

ここまでさまざまな現場を見てきた。いよいよボローニャを訪れた最大の目的、住民自治と連帯に迫ろう。

イタリアにはもともと各地に、住民が自発的に組織した自治都市があった。各地の自治都市が近代になって集合し、イタリアという国家に発展した。多くの自治都市は壁に囲まれている。ボローニャも南北2キロ、東西2・3キロのいびつな五角形の城壁に囲まれている。城壁の内側をチッタ（市、英語のcity）と呼び、周辺の農村（コンタード）を領域として栄えた。外敵が攻めてくれば人々は城壁の中にこもって戦う。このため運命共同体の意識が高まり、結束も強かった。まさに都市国家だったのだ。

この都市国家を「コムーネ」と呼ぶ。英語のコミューンだ。史上初の労働者階級の権力による自治政府を宣言した1871年のパリ・コミューンのコミューンである。わかりやすく言えば共同体だ。イタリアでは「市」も「町」も「村」も区別がない。規模の大小、人口の多少にかかわらず、すべて「コムーネ」だ。

政治を行う行政長官は、最初は貴族から選んだが、やがて商人と手工業者が同業組合をつくって民衆制になった。一般市民による民主主義である。その後は有力な名家による君主制になったが、住民の発言権が大きいことに変わりはない。こうした歴史的な自治の素地があった。

さらにイタリアでは地区ごとに人々が集まる場があった。「カーサ・デル・ポポロ（人民の家）」という。人民と言うと固いが、ポポロは英語のピープル（人々）で、要は「人々の家」という意味だ。『ボローニア「人民の家」からの報告』（松田博著、合同出版、1983年）によると、ボローニャの市と周辺だけで94ヵ所、イタリア全国では1000ヵ所を超すという。これは1980年代初めの数字だが、その後、2002年には松田氏は「地域・アソシエーション研究所」（大阪に事務局を置く研究所）のインタビューに応えて、「人民の家」を名乗るところだけで全国で2000ヵ所くらい、別の名前にしているところを含めると少なくとも1万は超える、という数字を挙げている。

「人民の家」は、地域の住民が自主的に地域に建てた「集いの場」あるいは「憩いの家」だ。建設の資金や労力を住民が負担し合う。よくあるのは3階建てで、バーやレストランを備えて安く飲食を提供し、映画館や劇場も備えている。学童保育や高齢者のレクリエーション、カルチャー講座など、住民が組織的に運営する。会員数2000人の大所帯から地方では数十人の小規模なものまでいろいろだ。

立命館大学教授だった松田氏は「異なる立場や思想、信条を排除せず、それぞれの固有の価値を認めあい、時間をかけて相互理解、協力共同の関係を生みだしていく場として『人民の家』が大切にされている点に、『イタリア民主主義』の強靭(きょうじん)さの一例を見る思いがした」と先ほどの著書で述べている。

住民はここでワインを飲みながら交流し、政治や経済の話もごく普通にする。このような場があったから、人々は日常的に集まってホンネで話せた。だからいざというときにまとまって行動することもできたのだ。パルチザンが生まれたのも、こうした連帯の基盤があったからこそだろう。

■権力を人民に近づける

戦後、ファシズムを許してしまったことを反省したイタリアは、民主主義の基盤をさらに堅固(けんご)にしようと考えた。憲法第5条で「地方自治を承認し、これを推進する。共和国は、国家に帰属する事務に関して最大限に広範な行政上の分権を実施し、その立法の原理と実務を自治および分権の要請に適合させる」とした。

さらに1976年には「国家権力を分権化し、人民に近づける」ため、分権法が成立した。地区の機関として地区評議会が作られた。人口4万人以上の、つまり日本で「市」の規模を持つコムーネでは評議会の議員は直接選挙で選ばれる。

ボローニャ市は1978年、そのための条例を制定した。「市民を市民的共同体の理想的、政治的、社会的、行政的生活への参加を促進する」ことが目的だ。このため18の地区評議会が作られた。各地区評議会には住民の直接選挙で24人の議員が選ばれる。市議会の議員とは別だ。

住民自身による自治で地区をより住みやすくするため、〝地区に公園をつくれ〟など市政に提案する。地方自治をより細かいレベルまで徹底したのだ。コムーネの中にたくさんのミニ・コムーネをつくって、それぞれで自治を進めていった。市民が選挙に行くだけでなく、真の主権者になるために。一口に言えば隅々まで行き届く住民レベルでの参加民主主義である。

1990年の地方自治法では、自治体の自律性を規定し、「コムーネが市民の『自由な連帯の形態』の有効性を発揮させ、市民が地方行政に参加するための『有機的組織体』を促進する」ことを定めた。ボローニャの地区評議会を研究した山田公平・名古屋大学名誉教授は論文で「民主主義的な地域社会を形成するという基本課題を一貫して追求してきた。そこで打ち出された『自由な連帯の形態』という新たな市民的連帯形態は、イタリア社会で展開されてきた『連帯主義』によって裏付けられている」と語る。

住民一人一人が地域の主人公であり、住民同士が連帯して自治を実施していく。「自立と連帯」というイタリア人の精神は、ますます発展しているように思える。

イタリア全土で一様に自治が発達しているのではない。地域や歴史によって違いがある。前述の『なぜイタリア人は幸せなのか』によると、米ハーバード大学の教授がボローニャやフィレンツェとイタリア南部の州を比較して調査した。その結論はこうだ。ボローニャなどかつて共和国だった北の地域では人々の横の連帯が強く、お互いが助け合って民主主義が発達している。しかし、かつて王政だった南の地域では、人々は何かにつけ王に頼り、縦の関係しかできなかった。しかも互いに競争相手の関係だったので連帯意識が育たず、民主主義の意識も低い。

こうしてみると、日本の社会はイタリアの南部に似ている。官庁や会社の中でひたすら出世競争に精を出して上司に気に入られようとし、同僚がけん制しあう。労働組合があっても結束が強くないため、組織に対して発言力が弱い。ここからも、日本に必要なのは「横のつながり」すなわち「連帯」を築くことだと言えよう。

■日本に、もっと自治と連帯を

ドイツもイタリアと同じように、戦前の反省から地方自治を重視した。中央政府の権限を州に移譲した。原子力発電所を造るには州政府の許可が必要なため、原発が造られにくくなった。日本だけが逆に、戦前以上に中央集権化している面がある。中央政府の比重が大きくなると、地方自治体は存在感が薄くなる。税金も中央政府から交付され、結局は政権の意志に従わなければならない。まして住民一人一人の個人の影はどんどん薄くなった。

イタリアと日本の自治体を比べれば明らかな違いがある。イタリアではコムーネと呼ばれる地方自治体が2019年9月の時点で全国に8093ある。一つの自治体あたりの平均人口は7000から8000人だ。一方、日本の市町村数はもともと少なかった。3000ほどだったのが平成の大合併（1999〜2010年）でさらにほぼ半減し、今は約1700である。一つの自治体当たりの人口は7万6500人で、イタリアの10倍にもなる。

イタリアのように所帯が小さければ周りの人の顔もよく見え、性格もわかり、仲間ができやすい。日本のように自治体の成員が極端に多いと、個人が見えなくなる。当然、仲間もできにくい。学校の少人数学級と多人数学級の違いを見れば明らかだ。

いざというときに連帯できるためには、日ごろから連帯する習慣が必要だし、それを保証する「場」が不可欠だ。イタリアでは、そもそも自治体の規模が小さくてお互いが認識しやすい。しかも「人民の家」という市民のたまり場が地区ごとにあった。コーヒーやワインを飲みながらおしゃべりする中で仲間意識が育まれた。だからこそ、独裁者を追い払おうと言いにくいことを口にすることができたし、呼応する人もすぐに集まった。

日本ではそのようなものがなかった。逆に政府が「隣組」という上からの統制組織を作った。住民が互いに監視し、反政府的な考えをする動きを密告、摘発する嫌な社会である。江戸時代の五人組と同じだ。これは軍隊組織に通じる。軍隊の階級に伍長がある。伍は文字どおり5人という意味で、古代の中国の軍隊が5人を最小単位として編成したことに基づく。つまり五人組の組長である。こうした上からの統制の意識が、今も町内会に引き継がれているところがある。町内会は本来、住民が自主的に運営するはずだが、日本の長い伝統の中で、上意下達の存在になっている面が見られるのは残念だ。

■日本の「人民の家」

日本で「人民の家」に近いものとして公民館がある。しかし、その実態は上からのお仕着せだ。1923年に正力松太郎（しょうりきまつたろう）が警視庁警務部長を懲戒免官され読売新聞の社長になったさい、後藤新平（しんぺい）に資金援助された恩返しに後藤の故郷、岩手県水沢町に資金を寄贈した。それをもとに作られた水沢公民館が日本の公民館の第1号だ。発足からしてまがまがしい。

戦後は日本の民主化政策にともなって各地に公民館が設置され、住民が企画・運営に直接参加し、地域における住民の学習権保障の場となった。今も職員ががんばってその役割を果たしているところもあるが、しだいに本来の意識は忘れられている。お上が作り、働き手が公務員として住民でなく国家の方針に従うなら、国家機関の要素が強く出てくるからだろう。

同じような組織に児童館がある。セツルメント運動から出発した点では子ども向けの「人民の家」に近い。戦後、新生日本の再出発の機運の中で地域の子どもたちの活動拠点となった。しかし、国庫補助の対象となり国が口を出すようになって、地域の声が反映されにくくなった。とはいえ活発なところはある。問題は、市民が主体的に使うかどうかだ。

東京都調布市にある「つつじヶ丘児童館」は「いつまでもたえることなく　友だちでいよう」と歌う「今日の日はさようなら」の歌の発祥地だ。集団就職で東京に出た孤独な若者たちを励まそうと、警視庁少年課の警官がボランティアで彼らの相談相手となった。彼は警官をやめて会を立ち上げ、「すべての人に対して、その尊さを信じよう」など七つの憲章を作り、簡単に人生をあきらめるなと諭した。やがて児童館が活動拠点となり、彼の教え子が専従スタッフとなって作ったのがこの歌だ。

人々が集い話し合う場として、日本では企業に労働組合があるし、大学には自治会がある。しかし、こうした「横の連帯」が政権によってみるみる破壊されてきた。日本経済の成長は、日本の民主主義の破壊の歴史でもあった。弾圧に抗して新たな連帯を築く力も根強いが、多くの人々は孤立し、悩みを打ち明ける場もなく、打ち明けられる仲間もおらず、ひたすら鬱になって自らを滅ぼす構図ができあがった。新自由主義の弱肉強食の時代になると、ますますそれが進んだ。

■国民投票で法律を変える

イタリアの社会を知るにつけ、軟弱と言われるイタリア人の芯の強さを感知する。ボローニャで会ったイタリア人を紹介しよう。ボローニャ大学日本語学科教授のフランチェスコ・ヴィトゥッチ教授だ。小学4年のとき授業で、千羽鶴で名高い広島のサダコの物語を先生から聞いた。その感動がきっかけで日本を訪れて10年住み、一橋大学で学び、銭湯も愛用した。鹿児島県出身の泰子さんと結婚した。広島の平和記念資料館のイタリア語訳をした日本通だ。

「ボローニャの自治の伝統は今も続いています」と教授は断言する。では、どうすれば日本にも自治が育つのか、を質問した。「街にゴミを捨てたりバスにただ乗りするような人がいたら、気づいた人が注意することです」と教授は言う。つまり身近な社会をより良くするために行動を怠らないこと、そして周囲の人たちと心を通わせることだ。孤立しがちな今の日本を連帯に変える第一歩は、平凡な声掛けから。今の日本人にできるかと考えると難しそうだが、できなくもない。大それたことと考える必要はない。最初は簡単な一歩を踏み出せばいいのだ。「連帯」という人の輪を地道につくることが自治への道だ。

イタリアの自治と連帯の、具体的かつ私たちに身近な例を挙げよう。イタリアには憲法第75条で認められた国民投票の制度がある。有権者50万人の署名があれば国民投票が行われ、国会で決まった法律を市民が覆すことができる。１９８６年のソ連のチェルノブイリ事故の翌年、国民投票が行われて原子力発電所の新規建設法の廃案が決まった。政府はその後、国内に５基あった原子炉を順次閉鎖した。ところが２００９年、極右と言われたベルルスコーニ政権は政策を転換して原発の新規計画を含む原発関連法を国会で成立させた。これに対して有権者は国民投票を求める署名運動を進め、５０万以上の署名が集まった。

国民投票の実施が決まったのは２０１１年1月だ。その2ヵ月後に福島の原発事故が起きた。当時のイタリアでは国民の政治離れが大きな問題となっており、国民投票が行われても投票率が５０％を超えたことはなかった。しかし、このときは別だった。「フクシマ」の衝撃は大きく、投票率は５７％に上った。投票の結果は「反対」が９５％を占め、原発の永久廃棄が決まった。同じ国民投票で国会が決めた水道事業の民営化も「撤回」が９５％を占め、民営化にストップがかけられた。

日本でも国民投票の制度を作りたいものだ。ただ、今の日本では注意も必要だ。政府与党が持ち出している「国民投票」は言論の自由をおびやかし憲法改悪を目標にしている。この点を見抜き、乗(じょう)ぜられないことが大切だ。そのうえで、国民の権利と民主主義を守る国民投票を目指したい。国民の代表者が集まった国会にすべて丸投げすると、国民が政治に疎(うと)くなる面がある。不満な法案が通っても挽回のチャンスがあるなら、政治への参画の意識が湧くだろう。国民による直接投票という道が残されているのが、イタリアやスイスなど欧州の民主主義の形である。最初から無理だとあきらめるのではなく、小さな一歩から始めようではないか。合言葉は、自治と連帯だ。

3　花の都フィレンツェ

■世界と人間の発見

車で何時間走ったろうか。不意に丘の上に出ると眺望が広がった。霧雨(きりさめ)がけぶる広場に巨大な彫刻が天を衝(つ)くように立つ。ミケランジェロのダビデ像だ。ここはミケランジェロ広場で、彼の代表作がブロンズのレプリカで台座の上にそそり立つ。その視線の先にフィレンツェの街が広がっている。足元を流れるのがアルノ川だ。

一瞬、息をのんだ。広大な自然の空間に、「絵」が広がっているように見えた。「花の都」フィレンツェの市街だ。ボローニャの赤と違って、しっとりと落ち着いた褐色の屋根と、それよ

丘から見下ろすフィレンツェ市街

りも目立つ黄色のパステルカラーの壁が水平に並ぶ。その中にここかしこ、教会の尖塔がそびえる。ひときわ目立つのが、お椀を伏せたような形、いや王冠のように威厳がある巨大なクーポラ（円屋根）をいただいたサンタ・マリア・デル・フィオーレ大聖堂だ。ドゥオーモ（大聖堂）の名で知られる。この街は美術館に行かなくても自然の中に絵画を見ることができる。

中世を脱し人間精神に革命をもたらしたルネサンス（再生）は15世紀、このフィレンツェで始まった。硬直しモノも言えなかった暗黒の時代から文化が芽生え、開花し、生きる喜びを謳歌する時代へ。スイスの思想家ブルクハルトは、ルネサンスの時代を「行動と思考の自由を勝ち得た個人が力を発揮する時代」と規定し、「ルネサンスによって発見された近代こそが、現代のヨーロッパ文明の起源である」と称賛した。彼が言う「世界と人間の発見」の時代の到来である。

ルネサンスを目に見え、体感できる形で今に伝えるのが、人口38万人の都市フィレンツェだ。ルネサンス当時の街並みがそのまま残る。中心部はさらにさかのぼって古代ローマ時代そのままの街並みだ。

この街も典型的な都市国家だった。手工業者の代表が評議会を組織し、全市民集会で政治を決めるなど民主制を築き、ついには組合に結集した商工業者たちが都市の権力を握って人民政府をつくった。両替商（銀行）や毛織物業が発達し、他国の王家にカネを貸す金融業で財を成した。その後は権力争奪の権謀術数が渦巻く。この街の金融業者の息子として生まれ、市政の最高権力の一角を占めたが、争いに敗れて追放されたのがダンテだ。北イタリア各地を流浪しながら長編叙事詩「神曲」を書く。

■文化の街の感染症

やがて街の支配権を握ったのが名高いメディチ家だ。「祖国の父」の称号を得たコジモ・デ・メディチは銀行家として蓄財し、欧州のすべての権力者にカネを貸し「帳簿の債務者に神を入れたい」とうそぶいた。富がヨーロッパ各地から集まった。

この時代、他の国は軍事に躍起となり軍事費にカネを回したが、イタリアは違う。フィレンツェの実業家は手にしたカネを文化に回した。レオナルド・ダ・ヴィンチやミケランジェロなど画家、彫刻家が活躍できたのは、パトロンが惜しみなくカネを出したからだ。ウフィッィ美術館を訪れると、ダ・ヴィンチの「受胎告知」やボッティチェリの「ヴィーナスの誕生」など美術の教科書に出てくる絵が次々に目の前に現れる。

明るい話ばかりではない。ペストが流行して多くの人が死んだ時代もあった。1348年に大流行したペストにより街の人口の半数が亡くなった。感染から逃れるため郊外に引きこもった男性3人、女性7人が退屈しのぎに話したという設定の物語が、ボッカッチョの『デカメロン』である。夫をだました妻、苦難を経て幸せに至った人、とっさの機転で危険から逃れた話など10人が10話ずつ、計100の物語が語られる。恐怖を忘れたいというよりはルネサンス人特有の人間くささがあり、ユーモアと艶笑（えんしょう）に満ちている。

メディチ家が没落したあと実権を握った修道士サヴォナローラは、「神の僕（しもべ）」を自称して独裁政治を敷いた。市民にも修道士のような厳格な信仰を迫り、酒場や娼家を閉鎖し、断食を強要したため肉屋が倒産した。純真な少年を集めて憲兵のような少年隊を組織し、政治に不平を言う市民を摘発して鞭打った。日本の平安時代に平清盛（たいらのきよもり）が京の街に放った「かむろ」（密偵）そっくりだが、わざわざ歴史をひもとくまでもない。コロナのために閉鎖を迫られた現代日本の飲食店の苦労と自粛警察さながらではないか。

■すべての真実は胃袋を通過する

イタリアと言えば料理だ。この国には「すべての真実は胃袋を通過する」という諺(ことわざ)がある。「ワイングラスの底には真理が潜んでいる」とも言う。名物のパスタはローマ時代の昔からあった。食べ方は時代とともに変わる。最初は小麦の練り物を焼いたり揚げたりした。茹(ゆ)でるようになったのは中世の時代だ。

トマトは、南米が原産地だ。大航海時代の16世紀にスペインの帆船(はんせん)がナポリに入港しトマトを伝えた。希少価値と丸い形から「ポモドーロ（黄金のリンゴ）」と呼ばれた。17世紀になってスペイン風のトマトソースが誕生したのが、当時はスペインの支配下だったナポリだ。トマトソースがパスタと結合したのは18世紀で、トマトソースをからめたパスタ「ナポリターナ」の誕生となった。ただし日本でよくあるスパゲッティ・ナポリタンは日本風にアレンジされた日本風パスタ料理だ。日本のカレーと本場インドのカレーが違うようなものだ。

一口にパスタと言っても、形はさまざまだ。市場に行くと種類のあまりの多さに驚く。おなじみのスパゲッティのように棒状のものでも、太さや形がさまざまだ。リボンの形のファルファッレ、ペン先の形をした筒状のペンネ、長方形のラザーニャなど500種類を超す。

食に対するイタリア人の感覚は鋭いが、それよりも驚くのは食べるパスタの量である。イタリアで食事すると、大きな皿に山盛りのパスタが出てくる。日本人はその3分の1くらいで辟易するが、彼らはあっという間にペロリと平らげる。男性だけでなく女性も、である。
背格好は日本人とさして変わらないのに、イタリア人の胃は日本人の3倍あるのか、と本気で思ってしまう。先ほど挙げたボローニャ大学のフランチェスコ先生は細い体にもかかわらず、私の目の前で2人分をぺろりと平らげた。隣にいた女子学生は、日本女性が見ただけで手をつけなかった皿を引き受けて、瞬く間に空にしてしまった。

イタリア料理の神髄は穀物と野菜にある、と言われる。地中海に面して暖かいイタリアやフランスなど南ヨーロッパでは太陽を浴びて育った野菜を多用する。昔から手をかけて畑を耕作し植物を栽培してきた。このため自然と向き合い自然を大切に扱う精神が育まれた。ここから「文明」の兆しが現れたと言われる。

たしかにヨーロッパで定評のある料理の名がついた国はイタリア、フランス、スペインなど南欧ばかりだ。ドイツ料理やイギリス料理もあるが、質や内容において豊かなイタリア、フランス料理の比ではない。ヨーロッパの北部の料理と言えばジャガイモがすぐに思い出されるが、ジャガイモの原産地も南米だ。大航海時代にもたらされる以前は、それさえ食べられなかった。

■スローフード運動

食の世界で、世界の流れとなっているのがスローフードだ。この旅の最初にローマを訪れたさいにマクドナルドのイタリア第1号店を見た。1986年にこの店が進出したのがきっかけとなって、世界のスローフード運動が生まれたのだ。

マックやコカ・コーラに代表されるファストフードは、食べ物の質より手軽さを第一に考える。量を増やすためには遺伝子組み換えも辞さない。世界各地の食文化を無視して画一的、人工的な味と米国の習慣を押し付ける。米国から世界にはびこる「食のグローバリズム」だ。

スローフードは、その逆を行く。手間暇かけた土地と不可分の食を大切にして普及させる運動だ。土地に根差さない画一的、人工的な大量生産の食材が蔓延(まんえん)して健康を損なわせたことへのアンチテーゼである。地域に根づいた食生活を主張し、①その土地の産物で、②質が良く、③その土地に合った生産方法で作られたもの、を食べる。さらに、④その土地に活気を与え生産性を高める、という積極的な発想に立つ。

つまりが、食生活を見直し豊かで人間らしい人生を取り戻す運動と言える。いわば「食の自治」である。1983年にイタリア余暇・文化協会（ARCI＝アルチ）の中に、イタリアの伝統的なワインと食を守ることを掲げた「アルチ・ゴーラ（アルチの美食家）」が設立された。

86年のマクドナルドの進出を機に「スローフード協会」となり、89年にはフランスのパリで15ヵ国の代表が調印してスローフード宣言を発表したことから国際運動に発展した。

その3原則がある。「おいしい、きれい、ただしい」だ。何を食べるかを追求することで、地球の未来や気候変動を考えるきっかけにもなった。持続可能な食のシステムなしに未来はないと考える。2004年には「テッラ・マードレ（母なる大地）」という世界生産者会議が中心的な役割を果たすようになった。コストを削るよりも地域性、多様性を優先する発想に立つ。

金儲け一辺倒の多国籍企業に管理されたファストフードは、「早い、安い、手軽」な反面、「美味しさは二の次、見た目は問わない、食材が怪しい」などの悪評が絶えない。スローフードとは、このように人間性が希薄な単一思考のグローバリズムへの、大地に根差した「文明」の側からの対抗策なのだ。

■人生にはロマンが必要だ

イタリア料理の本場で、イタリア料理をシェフから直々に習った。先生は料理人のカルミネ・コッツォリーノさんだ。日本で初めてイタリア人オーナーシェフのイタリア料理店「リストランテ・カルミネ」を東京に開店したパイオニアである。フィレンツェから車で45分の広

料理教室で指導するカルミネさん

大な畑で野菜やオリーブ油などを有機栽培し、スローフードのレストランを経営している。ちょうどこの時期、カルミネさんも帰国して「クッキング・アカデミー・フィレンツェ」という料理教室を開いていた。そこに参加したのだ。

わたされた紙には料理の内容が印刷してある。「タコとジャガイモのサラダ、ピスタッキオ・ペーストのリコッタ・チーズとタイムのラビオリ、ソレント風サルティンボッカ、そしてデザートはイチゴとクレーマ・マスカルポーネ」。よくわからないが、おいしそうだ。私も備え付けのエプロンをつけて調理場に向かった。

大きなまな板に小麦粉を広げ、その中央にくぼみを作って卵を6個割って入れる。手で混ぜたところまでは覚えているが、あとは覚えていない。というより、カルミネさんの手際の良さを後ろから見ているだけだった。せっせと手を動かしながらカルミネさんがつぶやく。

「料理にはロマンチックが必要です」。

そうだ、人生にもロマンが必要だ。暴力や強権的な支配に抵抗し、自立を目指して自由を勝ち取ったのもロマンだった。カネの論理に抵抗し食の文化を主張するのもロマンである。コロナ禍にめげずアパートのベランダで歌い合うのもロマンだ。ロマンに満ちた生活、ロマンに満ちた人生って、いいじゃないか。できあがった料理を食べながら、心から納得していた。

グラスに赤ワインが注がれる。少なめだ。「入れる時は少なくした方がいい。ワインが酸素と混じるために。飲む直前にいれるのは、ワインの目を覚ますため」と言う。こちらの目も覚めそうだ。

飲みながら思い出したのはフィレンツェのウフィツィ美術館で観た名画のさまざまだ。その中にボッティチェリの「ヴィーナスの誕生」があった。海の泡から生まれて貝に乗り春風に送られて岸辺に着こうとする裸体の美女だ。ダ・ヴィンチの「受胎告知」もあった。天使が聖母マリアにキリストを身ごもったことを伝える場面だ。

絵も良かったが、そのさいに聞いた遠近法の説明が頭に残った。これらの絵には遠近法が使われている。日本の絵にはなかった。何が違うのか。日本は湿気が多く、遠くのものはぼけて見える。だから遠い風景を描くときは薄く描くか、ぼかせばいい。一方、イタリアは地中海性気候で空気が澄んで、遠くまではっきりと見える。ぼかすわけにはいかない。そのために発達した技術だという。

日本ではとかく将来を見通すことを最初からあきらめ、「あいまい」で済ませようとする土壌がある。もしやこうした風土もその原因となっているのかもしれない。ヨーロッパはそうはいかず、細部にわたって厳格な見通しを迫られる。

どちらがいい悪いではない。大切なのは、違いをしっかり認識することだ。そのうえで参考になることがあれば、自分が住んでいる社会をより良い方向に進ませるために、役立たせることだ。日本の風土にヨーロッパの良い点を注ぎ込んで目を覚まさせる。その実践のさいに原動力となるのがロマンだろう。

イタリアで明らかにつかんだのは、「自治と連帯」の重要性とロマンの力だった。

■コロナ禍に対抗する連帯

イタリアから帰国して1年。世界はコロナ禍におののき、イタリアはその被害をまともにくらった。最初の感染者が見つかってから2ヵ月後に全土がロックダウンされ、戒厳令下さながらのものものしい封鎖社会となった。外出は自宅の周辺200メートル以内の必要最小限に限られ、散歩も禁止された。しかも外出するときは自主申告書の携帯が義務づけられ、違反すると5万円を超す罰金だ。こうした厳しい措置にもかかわらず、ロックダウンの開始から3ヵ月間で3万人を超す命が失われた。

イタリアで感染者と死者が続出した理由は、冒頭にあげた親密な国民性だけではない。この国の経済政策が感染症に対する抵抗力を弱めていた。イタリア人の幸せな生き方には好感が持てるが、一方で乏しいのが、先を見通す経済観念だ。

あまりのノー天気ぶりに、1999年に欧州の通貨ユーロに参加したときや2010年の通貨危機では、無駄な予算を削るよう厳しい緊縮政策を突き付けられた。では、何を削るか。イタリア政府が削減したのは、医療と社会保障だった。人口1000人あたりの病床数は1990年に7・2床あったのが、2017年には3・2床と半数以下に減った。2017年までの9年間に医療従事者は4万3000人も減った。

こうした政策を進めたのが極右のベルルスコーニ首相だ。実業家の出身で「メディア王」と呼ばれ、ちょうどアメリカのトランプ大統領のような存在だった。「イタリアのトランプ」によって、社会の格差が急速に広がった。

一方で、ベルルスコーニに対抗し「ともにイタリアのために」をスローガンに、幅広い市民を結集する市民運動が生まれた。運動の名を「オリーブの木」という。いかめしい名前でなく、平和の象徴で実のなるオリーブを自称したのがほほえましい。代表はロマーノ・プローディ。あのボローニャ大学の教授である。連帯の街から、中道と左翼をまとめる野党連合の動きが生まれ、1995年と2006年に政権を勝ち取った。

ともあれ、ベルルスコーニ時代の「負の遺産」が今回はイタリアを不幸に陥れた。イタリアでは公的医療が原則として無料だ。だから国民は気軽に病院に行く。コロナ禍が発生すると感染を疑う人が病院に殺到した。このため人手の足りなくなっていた医療従事者に負担が集中した。感染が一気に広がって医療崩壊が起きた。治療ができないから感染者が重症化し、死者が増えた。

コロナ禍の重苦しい社会の中でも、一人の物理学者が書き綴ったエッセー集がイタリア人に共感を呼んだ。書いたのはパオロ・ジョルダーノ。数々の賞を受賞した文学者でもある。人口6000万人のイタリアで瞬く間に200万部を超すベストセラーとなった。日本でも『コロナの時代の僕ら』（飯田亮介訳、早川書房、2020年）として出版された。

その中で彼は指摘する。「今回の新型ウイルス流行は、この世界が今やどれほどグローバル化され、相互につながり、からみ合っているかを示すものさしなのだ」「感染症の流行は考えてみることを僕らに勧めている。隔離の時間はそのよい機会だ。何を考えろって？　僕たちが属しているのが人類という共同体だけではないことについて、そして自分たちが、ひとつの壊れやすくも見事な生態系における、もっとも侵略的な種であることについて、だ」。

危機の中、「醒めた目」で状況を見た彼は、感染症を引き起こした原因が人間による自然破壊だと語る。人間がウイルスに襲われたのではなく、取り留めのない開発によって人間の方がウイルスを「巣から引っ張り出した」のだと指摘する。そして言うのだ。

「僕は忘れたくない。今回のパンデミックのそもそもの原因が秘密の軍事実験などではなく、自然と環境に対する人間の危うい接し方、森林破壊、僕らの軽率な消費行動にこそあることを」。

ここに見られるのはスローフード運動に通じる視点だ。カネ儲け一辺倒の姿勢を改めなければ地球は持たないし、人類は生きていけなくなるという科学者からの警告である。

感染症はいつの時代も、人間に意識の変革を迫った。コロナ禍に襲われたイタリアからのメッセージは、経済発展を人命より優先してはならないこと、自然を破壊すれば人間社会をも破壊することになること、そして民主主義を破壊する政権が現れたときは、市民が連帯して立ち向かえばいいという教訓だった。

ニコライ教会の前の石畳にある「1989年10月9日」のレリーフ

第2章
連帯が抑圧社会を覆した
――ドイツ、チェコ、ポーランド――

1　ドイツ——勇気を奮い起こした人々

■「コロナ」で見せたドイツの知恵

　コロナ禍の被害が蔓延（まんえん）したヨーロッパで、ドイツは「欧州の模範国」と言われた。感染者こそ多いが、人口当たりの死者は少ない。それもイタリアやイギリス、フランスに比べて、桁（けた）が一つ少なかった。

　なぜ、そうなったのか。まず迅速な対応だ。早い時期にPCR検査態勢を作った。早くも2020年1月にベルリンの大学の研究チームが検査方法を開発した。政府は民間の検査会社に委託し、2月半ばには全国で検査を進めた。この時点で1日に6万件の検査ができた。

　素早い対応の背景には、ずいぶん前からの準備がある。政府の依頼で2012年、国立感染症研究機関のロベルト・コッホ研究所が「防災計画のためのリスク分析報告」を連邦議会に提出した。最悪のシナリオを作成して公表し、地方自治体や医療界に準備を呼びかけた。

それに沿って政府も医療保険に予算をつけ、重症患者用の集中治療室を拡充した。人口あたりの集中治療室のベッド数はヨーロッパで最多である。日本の倍以上だ。このためコロナ禍では自国だけでなくイタリアやフランスの重症者を受け入れた。早い段階で先を見通し、ウイルスとの戦闘態勢を整えていたのだ。

メルケル首相は3月、国民に語りかけた。「開かれた民主主義に必要なことは、私たちが政治的決断を透明にし、説明すること、私たちの行動の根拠をできる限り示して、それを伝達することで、理解を得られるようにすることです」「私たちがどれだけ脆弱であるか、どれだけ他の人の思いやりのある行動に依存しているか、それをエピデミックは私たちに教えます。また、それはつまり、どれだけ私たちが力を合わせて行動することで自分たち自身を守り、お互いに力づけることができるかということでもあります」(林フーゼル美佳子さんの訳から)。

エピデミックとは、感染症などが異常な症例となって地域や社会に広がっていることを指す。複数の国や世界に広がる事態をパンデミックと呼ぶ。まだ感染症の実態がよくつかめない段階で、首相はなすべきことを的確に説明したのだ。誠実な態度が、国民の信頼を得た。

彼女は、元は物理学者だった。感性よりも理性に訴える。学校を閉鎖するときも、なぜ規制が必要なのかの理由や目的を明らかにし、国民にお願いする形で謙虚に伝えた。今、すべきことを国民に示し、そこから現実の具体的な政策を導いて、誰もがはっきりわかる形で示す。あるべき政治の王道を行った。

経済の救済も迅速だった。中小企業の税制優遇措置などを早くから実施した。中小企業の支援策として用意した額は6兆円に上る。それができたのも安心して使える財源があったからだ。ドイツは2014年から財政黒字を重ねてきた。ここが日本やアメリカと違う点だ。一言で言えば、用意周到なのだ。

医療と並んで、予算で削減されがちなのが文化だ。メルケル首相は「文化的環境を維持することが政府の優先順位の一番上にある」と語った。文化大臣は「芸術は生活必需品である」と言った。口先だけではない。コロナ禍で仕事を奪われた演奏家らフリーの芸術家に、報酬となるはずだった額の40~60%を支払った。300億円を劇場や映画館に助成した。

こうしてみると他の欧州諸国はもちろん、日本との大きな違いを感じる。政治が違うと、こうも違うものか。メルケル首相と日本の政治家を比べると、メルケル首相の格調の高さや見識、政治力、その前提にある人間性に感嘆する。

政治家としてあるべき資質は、メルケル首相だけではない。ドイツの政治に連綿と流れる文脈である。ドイツの政治にも右と左がある。メルケル首相はキリスト教民主同盟の党首で「右」の代表格だ。その前のシュレーダー首相は社会民主党で「左」の代表格である。ドイツでは左右の政治勢力がほぼ交代して政権を握ってきた。しかし、左右とも一致していたのは、国のリーダーになる人が哲学者のように深い思索を持ち、すべての国民のための政治を誠実に心がけて実行したことだ。

■社会的市場経済

ドイツに共感を覚えるのは、政治だけではない。この国は経済の在りようが日本と違う。同じ資本主義といっても、ドイツは特有の「社会的市場経済」を採用している。資本主義に種類があるのかと驚かれそうだが、社会主義といってもソ連や今の中国を典型的な社会主義とはとても呼べないだろうし、ヨーロッパには伝統的な社会民主主義がある。資本主義も地域によって在り方がまちまちだ。

マイケル・ムーア監督がアメリカの資本主義を批判する映画「キャピタリズム（資本主義）」を2009年に制作したさい、日本での記者会見でこう語った。

「日本の企業には従業員の首を切るのは会社の恥だという考えがかつてあったが、米国にはない。日本人が戦後、懸命につくった優れた社会のシステムを、保守的な日本政府が崩してしまった。労働者を簡単に首にし、貧困は犯罪だと考える社会にしてしまった。米国のまねをしようという思いは捨ててくれ。日本人が営々と築き上げてきた、昔からの日本でいてほしい。教育を大切にし、従業員をむやみに解雇しなかった、昔の日本に戻ってもらいたい」。

グローバリズムが席巻する以前、世界の資本主義には大きく分けて三つの型があった。自由競争に徹して会社は株主のためにあると考えた米国、市場経済ではあるが何かと政府が市場に介入する欧州、従業員は家族だと考え終身雇用が当たり前だった日本。やりたい放題のアメリカ、規制する欧州、「会社主義」と呼ばれた日本と、三者三様だった。

資本主義と言えば米国が正統だと思われているが、そもそも資本主義が発達したのはヨーロッパだ。ドイツの憲法に当たる基本法は第１４条で「財産権は、……公共の福祉に役立つべきものでなければならない」と述べる。自由競争で企業を放っておくと何をするかわからないので、いざとなれば政府が介入して操作すべきだと、ドイツ人は考えた。この国を一口に言えば「社会国家」なのだ。

こうしたドイツ型資本主義の原型が生まれたのは１９６０年。当時のエアハルト経済相（後の首相）が唱えた経済政策が原点だ。戦後の時代から復興する方法として提唱したのが「社会的市場経済」である。彼は「すべての国民に繁栄を！」と叫んだ。一部の資本家の利益でなく、労働者が豊かに生活できるよう労働時間や休暇を法律で厳しく定めた。社会保障の制度をしっかり整え、市場競争に敗れても生き残り、再び立ち上がれるようにした。アメリカと区別して「ライン型資本主義」と言う。ライン川に沿った地で生まれたからだ。ドイツに住むジャーナリスト熊谷徹氏は「人間の顔を持った資本主義」と呼ぶ。

この社会国家の理念が、コロナ危機でも力を発揮した。本人の責任でなく労働時間が短縮された場合には、国が事業者や労働者、フリーランスや個人事業主に減収分の手当てを支払う。それはコロナ禍の前から法律で決められていた。だからあわてて特別な立法措置をしなくても、既存の法律を使うだけですぐに対処できたのだ。仕事がなくなった人たちを直ちに救うことができたのは、このためである。

世界にさまざまあった資本主義がアメリカ型に統一されたのは、東西の冷戦が終了して世界の超大国がアメリカだけになり、グローバリズムの中でアメリカ流の新自由主義が広がってからだ。その発端が東欧革命だった。

■壁を叩き壊す市民

東欧革命。それはソ連の支配下で抑圧され、モノも言えない管理社会となっていたヨーロッパ東部の国々の強権体制が、民衆の蜂起によって次々に倒れた歴史的事件である。

まずは時計の針を30年ほど前に戻し、1989年のベルリンを語ろう。

当時、私は朝日新聞で創刊されたばかりの週刊誌『AERA』の記者として、東欧革命を現地で取材していた。チェコの革命を取材したあと、列車でドイツに入った。ヨーロッパを横に、フランスのパリとトルコのイスタンブールをつなぐのが名高い「オリエント急行」だ。これと直角に、ヨーロッパを縦につなぐ「バルト・オリエント急行」という国際列車がある。当時はドイツのベルリンとルーマニアの首都ブカレストを結んでいた。これに乗ってプラハから東ドイツの東ベルリンに入ったのは12月19日だ。ベルリンの壁が崩壊した11月9日から1ヵ月と少しで、現実の壁を壊している最中だった。

東ベルリンは建物も道路も、見渡す限りくすんだ灰色だった。豪壮な建物が並ぶが、およそ人間性を感じさせない。ホテルは建物だけは立派だが、内装はボロボロでサービスもひどい。宿泊費はドル払いで途方もなく高いのに、食事はまずいうえ「これっぽっち？ 何かの間違いではないか」と思うほど量が少ない。大きなホテルなのにタクシーがおらず、いちいち電話で呼ばないと来てくれない。街を走る車の多くは、車体が強化プラスチック製で指で押さえるとペコペコする悪名高い東独製のトラバントだ。

大通りに無機質で単調な灰色のコンクリートの壁がつらなっていた。高さ4メートルで全長は160キロある。ベルリンの壁は崩壊したというが、壁の両側を人々が自由に行き来できるようになったというだけで、現実の壁はなお立ちはだかっていた。

コーン、コーンという音が聞こえる。壁を壊している音だ。しかし、音がするのは西ベルリン側である。壁の向こう側に行ってみた。西側の壁は極彩色に塗られていた。壁面が赤や青、黄色などサイケデリックな抽象画やいたずら書きのような絵、文字で埋まっている。西ベルリンの市民は遠慮なく、いまいましい壁をキャンバスにして不満をぶつけてきたのだ。一方で、そのようなことが東ベルリンではまったくできなかった。表現の自由がある西と、自由を許されない東の違いが、ここに明確に現れていた。

コーン、コーンという音は、市民が自宅から持ち出した金づちで壁を叩く音だった。しかし、厚さ16センチもあるコンクリートの壁を金づちだけで壊すのは難しい。金づちを借りて私も叩いてみたが、力いっぱい叩いてもはじき返され、手がしびれるだけだ。あまりに硬くて、かけらを削ることさえできない。

向こうの壁際に青年が立っていた。足元の箱に破片が積んである。壁の破片を売っているのだ。5センチ角の破片が1個10マルク（約860円）、10センチ角が20マルク（約1720円）だ。ただで手に入れておきながら法外な値段だと思ったが、自分で削り取れない以上、仕方ない。長さ10センチの大ぶりな、緑のペンキがついた破片を買った。彼はタガネを壁面に当てて金づちで叩き、破片を削りとったのだった。

さらに向こうに背広姿の恰幅のいい男性が立っている。米国のデパートの買い付け人だった。破片を大量に買ってアメリカで売ろうというのだ。さすがに商魂たくましい。日本のデパートも同じようなことをしたが、かなりあとになってからだった。日本人で見かけたのは若者のロック・グループ5人だ。壁の前で歌っていた。

■手違いから開いたゲート

これまで東西ベルリンを歩いて行き来できたただ一つの門が、チェックポイント（検問所）・チャーリーだ。このチャーリーはだれかの名をとったのではなくNATO（北大西洋条約機構）軍の符号である。聞き違いを避けるため日本で「アサヒのア」と言うように、NATOでは「アルファのA、ブラボーのB、チャーリーのC」などと言う。これに合わせて「A」検問所はアルファと呼ばれ、「B」検問所はブラボーと呼ばれた。つまりチャーリーとは「C検問所」の通称である。そのわきの壁には「チャーリーは1989年11月11日で、お役御免となった」というドイツ語の文字が書いてある。

「ベルリンの壁の崩壊」は、その2日前の11月9日だ。翌10日だけで数万人が東ベルリンから西側に入った。「壁が壊れた、壁が落ちた！」の叫び声が湧き、花火が上がり、シャンパンが抜かれ、拍手とVサインが飛び交った。

現場で聞いたのは、11月9日に壁が開放されたのは東ドイツ政府の「手違い」からだということだ。「史上最大の行政管理上の過ちによって」とも言われた。

それはこういうことだ。東欧の国の中でいち早く民主化したのはハンガリーだった。オーストリアとの国境の鉄条網を撤去し、西ドイツへの移住を希望してハンガリーにとどまっていた東ドイツの市民が自由にオーストリアに出国することを許可した。このためハンガリーに行けば西側の諸国に入れると知った東ドイツの市民が、大挙してハンガリーに行った。ハンガリーとオーストリアとの国境地帯で「ピクニック」をするという口実でやってきた東ドイツの人々が、そのまま国境を越えてしまった。「汎ヨーロッパ・ピクニック」と呼ばれる事件だ。1989年8月19日のことである。

こうなるとベルリンの壁の意味がなくなった。壁があっても人々は壁を迂回(うかい)して向こう側に行ってしまう。こうした状況の中、国外旅行を求める国民の圧倒的な声を受けた東ドイツ政府は、外国への個人旅行の規制を緩(ゆる)めざるをえなかった。旅行の許可を簡単に出せるようにした。それを記者会見で発表した報道官は「その規則はいつから発効するのか?」と記者から問われて、よくわからないまま「直ちに」と答えてしまった。それを文字通りにとらえた西ドイツの放送局が「東ドイツが国境を開いています。ベルリンの壁のゲートは開いています」と、午後8時のニュースで流した。それを聞いた東ベルリンの市民が怒涛(どとう)のように壁の検問所に押し掛けた。

午後9時半までにベルリン中心部のチャーリー検問所に詰めかけた市民は2000人。別の検問所も含め、10時半に2万人が押し寄せた。検問所には銃を構えた国境警備兵が1列に並んでいたが、発砲すれば群衆を制圧する前に暴動になることは明らかだ。現場の指揮官は「これ以上は維持できません」と電話で上官に伝えたあと、ゲートを開けて人々に通過を促した。人々はなだれをうって西側に走り抜けた。ゲートの西側では西ベルリンの市民が花束やシャンパンを手に待ち受けていた。東からの人波が一段落すると、こんどは西側の人々がゲートを東側に抜けた。

夜半までに市内6ヵ所の検問所はすべて開いた。1万2000人いた東ドイツの国境警備兵はすべて兵営に撤収した。午前零時15分、東ベルリンの青年たちが検問所のないブランデンブルク門の壁によじのぼり、西側の青年と合流して壁の上で踊った。

■50万人集会

それにしても単に「手違い」で歴史が動くはずはない。「手違い」はきっかけであって、壁を壊した大きな力が別にあるはずだ。

そう思って聞くと、壁が崩壊する5日前の11月4日に東ベルリンのアレクサンダー広場で、自由を求める史上最大の50万人を超える反政府集会があったという。100万人だったとも言われるが、当時のことだ、きちんと数えた人はいない。どちらにせよ大勢が集まったことに違いはない。この市民力が大きな圧力となって政府を動かしたのだ。では、これだけ多数が集まった原点は何だろうか?

すると東ドイツ第2の都市ライプチヒで始まったデモがきっかけだという。壁が崩壊する1ヵ月前の10月にライプチヒでは大きなデモが起き、それに刺激された形で首都ベルリンでは10月21日、中心部の共和国宮殿から警察本部までの1・5キロを市民が手をつなぐ「人間の鎖」ができた。その2日後、ライプチヒのデモは30万人に膨らんだ。こうした流れに押された政府は、それまで非合法としていた市民団体「市民フォーラム」を公認し、市民の代表として認めて話し合った。押せ押せムードの市民の動きはいっそう高まり、11月4日の50万人集会となり、その3日後には閣僚が総辞職に追い込まれ、9日のベルリンの壁崩壊につながったのだ。

つまり壁を崩壊させたのは市民のうねりである。すでに国民の怒りは発火点に達していたのだ。「手違い」が点火プラグの役割を果たして、一気に燃え上がったのだ。「手違い」がなくても、ちょっとした出来事で同じ動きになっただろう。

ライプチヒの市民の動きは、この町のニコライ教会の月曜ミサから始まったことを知った。壁の崩壊の原点は教会のミサだった！　そのときはここまでしかわからなかった。そのままライプチヒに行けば詳細な流れがわかっただろう。しかし、私にはほかに行くべき地があった。ルーマニアだ。

ルーマニアの地方都市で軍が市民に発砲し、反政府派の市民を大量虐殺したというニュースが飛び込んできた。独裁者チャウシェスクが率いるルーマニアは支配体制が強固で、21世紀までルーマニアは変わらないと言われていた。そこに変化が起きたのだ。私は再び「バルト・オリエント急行」に乗り、一路、南を目指した。まる1日かかって着いた首都ブカレストは内戦のさなかにあった。銃撃戦の中を走り回り独裁者チャウシェスクが銃殺されたあとも留まって革命に至った流れをつぶさに取材したあと、日本に帰って『AERA』に記事を書き、『歴史は急ぐ～東欧革命の現場から』（朝日新聞社、1990年）という本を書いた。

そのときから気になっていたのが、ベルリンの壁崩壊に至る市民の運動の原点である。いつか現地を訪れて調査しようと心に決めていた。

■「平和な革命」を祝う30周年

それから30年後、そしてイタリアへの旅からほぼ半年後の2019年11月、私はベルリンに立っていた。世界を揺るがせた東欧革命から30年たつドイツを再訪し、壁を崩壊させた市民の動きを知ろうと、日本からスタディツアーを組んでやってきたのだ。

成田空港を出発したのは11月7日の午前11時55分。フィンランド航空の飛行機で10時間15分かけてヘルシンキに到着し、入国審査を受けたあとは飛行機を乗り換えてベルリンに向かった。ヨーロッパはどこかの国に入って入国手続きすれば、ほかの国に入る手続きはもう不要だ。１９９５年に施行されたシェンゲン協定に基づく制度である。ヘルシンキからベルリンまでは2時間。着いたのはその日の夕方6時35分だった。

翌日はベルリンの壁にまつわる場所を訪ねた。３０年前に東西ベルリンの人々が集まった中心部のブランデンブルク門では目を見張った。門の前の大通りは青や黄色、ピンクなど色とりどりの短冊が、広い道いっぱい長さ１５０メートルにわたって垂れさがっている。３０周年を祝って世界から3万人が寄せたメッセージが短冊に書かれている。

「平和な革命——壁の崩壊の３０周年」という、分厚いパンフレットを配っている。１１月4日から１０日までの1週間、街は祭りの最中だった。市内の7ヵ所で討論会や劇の上演、音楽会、写真展などの催しが相次ぐ。催しの場所と内容の紹介が１４４ページ分もある。ブランデンブルク門だけで３０の催しがあった。あの５０万人集会があったアレクサンダー広場は４2もある。３０年たつというのに、ここまで盛大に祝うことに驚く。

チェックポイント・チャーリーに行くと、復元した検問所がある。白い木造りのボックスだ。旧東ベルリン側には土嚢（どのう）が高く積んであり、当時の緊張した雰囲気を味わわせてくれる。今は観光客のための撮影スポットだ。そばの道にはコンクリートの地面に１０センチ角の石が2列に延びる。倒された壁の跡である。「ベルリンの壁　１９６１—１９８９」のプレートもはめ込まれている。１９６１は壁が建設された年だ。

すぐそばの交差点に「壁博物館」があった。東側から壁を越えて脱出しようとした人たちはトンネルを掘ったり、気球を飛ばしたりした。苦心の様子を当時の写真で見せる。博物館の売店で壁の破片を売っていた。表面にペンキが塗られた破片が4センチ角で1250円だ。30年前に私が現場で買った断片と比べ、石そのものの値段は倍に跳ね上がった。とはいえ、こちらは破片をアクリルの板で囲み、金色の文字で「オリジナルのベルリンの壁　1961―1989」と記してある。はがき大の「オリジナルの証明書」付きだ。証明書に押した印のマークは、金づちとタガネをデザインしたものだ。「偽物ではなく、ちゃんと現物を手作業で砕いたものです」と言いたいのだ。

向かいのビルに、見慣れた「M」のマークがあった。マクドナルドだ。観光客が集まる場所には必ずマックがある。しかし、ローマの白い「M」ではなく、こちらはおなじみの派手な黄色だった。

■戦争責任をとる政府

ブランデンブルク門の旧西ベルリン側にある公園に、新しい記念碑ができていた。流浪の民ロマ民族とドイツに住む彼らの同族のシンティ民族の犠牲者を追悼する碑だ。直径10メートルほどの円形の池の真ん中に赤いバラが置かれ、池の縁に詩が刻まれている。ナチスは、「ジプ

ベルリンのホロコースト記念碑で説明を聴く
高校生たち

シー」と呼ばれてきた流浪の民の彼らを強制収容所で50万人も殺した。公園の塀には迫害の歴史が年表となって書かれている。ドイツ政府として戦前の人種差別の非を公式に認め、過ちを繰り返さないため首都の中心部に過去の加害を自ら克明に記したのだ。

ブランデンブルク門の手前、旧東ベルリン側には、2万平方メートルもの広大な敷地にコンクリートの四角い柱を並べた記念碑がある。その数は2711本。まるで墓石の群れのようだ。ナチスの時代にユダヤ人を虐殺したことを忘れないためのホロコースト記念碑である。高校生らが先生から話を聴いてしっかりメモを取っていた。

ドイツ政府がこれを建てたのは2005年の5月8日、終戦から60周年の記念日だ。ちなみにドイツでは終戦記念日とは言わず「民主主義の日」と呼ぶ。この日を機に民主主義を進めようという決意を込めて名付けた。同じ戦後６０周年のとき、日本では首相が靖国神社に参拝してアジアの国々を怒らせた。被害を及ぼした国に対してドイツとは真逆のことをしたのだ。これでは被害国から理解されるどころか、反感を募らせるだけである。

１９７０年、当時の西ドイツのブラント首相はポーランドのユダヤ人犠牲者の碑の前で跪(ひざまず)き、その誠意ある姿が被害者の心を打った。終戦から４０周年の日には、当時のワイツゼッカー大統領が「過去に目を閉ざす者は、現在にも盲目になる」と演説した。ドイツでは政権が替わるごとに政治家が戦前の蛮行を被害国に詫びている。だから周囲の国から信頼され、今や欧州連合（ＥＵ）の中心となって活躍できるのだ。日本では「いつまで謝ればいいのか」と過去を忘れようとする風潮があるが、ブラント元首相が言うように「引き継いだ歴史から誰一人自由ではない」のだ。

日本と韓国の間で、日本軍が徴用工や慰安婦としてきた人々への個人補償が問題となっている。日本政府はすでに解決済みとしてなんら補償しない姿勢だ。しかし、戦後のドイツは各国の被害者を探してきちんと補償した。個人に支払った総額は6兆円を超える。強制労働の被害者に対しては政府と企業が基金を設立して補償している。同じようにやればいいではないか。「日本人が悪いことをするはずがない」という姿勢を頑(かたく)なに続けるなら、永遠に仲直りできない。過去の問題というより現在、いや未来の問題である。

ちなみにドイツの補償の対象は、外国人だけではない。自国の民間人の戦争被害者にも、きちんと立法措置をとって補償した。ナチスはドイツ国内の反ナチの市民も強制収容所に送って殺したが、そうした人々の名誉を回復し、かつ補償した。日本では原爆の被ばく者も勝手に線引きして「あなたはダメ」と冷たい態度をとる。こうした違いを見るにつけ、日本では戦争責任が国外だけでなく、国内でもおろそかにされていることを感じる。

■自由を望み勇気を持つ

ベルリンの壁が崩壊してちょうど30年となる2019年11月9日、ベルリンの新聞は大々的に取り上げた。「ディ・ヴェルト」紙は1面に「FREIHEIT（自由）」の大見出しを掲げた。「ベルリナー・ツァイトゥング」紙は1面から14面まで、「ベルリナー・モルゲンポスト」紙は1面から44面まで、通しの特集を組んだ。30年たつのに驚くほど大きな扱いである。

当時と今の写真を並べて変化を記したルポや、当時の政治の流れの説明が多い。今の若者に歴史を知ってもらおうとする強い意思を感じる。単なる懐古（かいこ）ではなく、「ここから新時代が始まった。いかなる壁も取り払われなければならない」と積極的な論調だ。今後に生かそうとする未来志向に満ちている。

ベルリンの壁はあらかた壊されたが、当時を記念するために残された場所もある。ベルナウアー通りには当時のままの煤(すす)けた壁が残されている。壁を越えようとして命を落とした人たちの顔写真が飾られ、ロウソクや花がささげられていた。その一角に「ベルリンの壁資料センター」があり、歴史的な写真が展示されている。センターの屋上に上がって壁を見渡すと、壁の向こうに空き地があり、さらにその向こうにもう一つの壁がある。空き地には監視塔があり、犬を連れた警備兵が巡回して逃亡者を阻止した。

ここで9日、30周年の記念式典が開かれた。ドイツとともに革命の民主化運動をリードしたポーランド、チェコ、スロバキア、ハンガリーの旧東欧4ヵ国の大統領も招かれた。リーダーたちは「ベルリンの壁」のコンクリートの隙間に赤や黄のバラの花を一輪ずつ挿(さ)した。「あらゆる壁を崩し、新しい未来をつくっていく」という意味を込めて。

メルケル首相は「人々を排除し自由を制限する壁がどんなに高くても、壊れない壁はない」と話した。「自由、民主主義、平等、法の支配、人権擁護といった価値観は自明のものではない。何度も息を吹き込み守っていかねばならない」とも。ただ祝うだけでなく、過去から学ぼうとする姿勢がここにも表れる。

シュタインマイヤー・ドイツ連邦大統領は「ポーランドとハンガリー、チェコ、そしてスロバキアの人々が自由を望み勇気を持たなければ、東欧での平和的な革命やドイツの再統一は不可能だった」と述べた。そうだ。歴史を変えるには人々の勇気が必要だ。もちろん、ドイツでもそうだった。ドイツで、だれが勇気を出して流れを変えたのか。検証しよう。

この日の夜にはブランデンブルク門前の特設舞台で、記念の音楽や踊りなどの催しが行われた。ベルリン国立歌劇場管弦楽団はベートーベンの交響曲第五番「運命」を演奏した。しかし、それを楽しむよりも、一刻も早く歴史を変えた現場を見よう。目指すは「革命の首都」と呼ばれたライプチヒだ。

■革命の首都ライプチヒ

ベルリンから南へ高速道路アウトバーンを車で3時間走ると、旧東ドイツ第2の都市ライプチヒだ。この街はヨーロッパの交易の交差点だった。東のモスクワから西のポルトガルまで結ぶ「王の道」と、北のバルト海から南のローマまでをつなぐ「皇帝の道」の十字路がライプチヒだ。ヨーロッパ各地の商品がここに集まり取引が行われた。

商品見本の展示を主とする見本市は、世界で初めてこの街で開催された。1895年のことだ。大規模な書籍市が立ち、岩波文庫を作る際に手本にしたと言われるレクラム文庫も、この街で誕生した。印刷が発達し、1650年に世界初の日刊紙が生まれたのもこの街である。

商業の繁栄が文化の発展を招いた。バッハやメンデルスゾーン、シューマンらがこの街を拠

ニコライ教会

点に活躍した。18世紀には市民の音楽文化が栄え、名高いライプチヒ・ゲヴァントハウス管弦楽団が生まれた。市民による自主経営で発足した世界初の民間オーケストラだ。

バッハがこの街のニコライ教会で『ヨハネ受難曲』を初演したのは1724年だ。ベルリンの壁が崩壊するきっかけは、このニコライ教会で始まった市民のデモだった。だからこの町は「革命の首都」と呼ばれる。市役所の前に「平和な革命の都市」の看板が立つ。

中心部のあちこちに、黄色い地に赤で「'89」と書かれた、広告塔のような看板が立っていた。1989年の革命のさいに重要な行動が行われた「平和革命の地」を記念する。1989年1月15日に最初の組織だったデモが行われた場所、6月10日に自由を求める街頭音楽祭が開かれた地など20ヵ所。当時の写真にドイツ語、英語の説明がある。

石畳の広場に出た。革命のきっかけとなったニコライ教会が目の前にある。石を積み重ねた外壁が、相当な古さを感じさせる。それもそのはず、1165年の建築だった。日本で言えば平清盛が権勢をふるった時代だ。教会の前に立つ1本の円柱は、頂上にシュロをかたどった彫刻が載せてある。東西ドイツが統合する運動がここから始まったことを示す記念塔である。シュロは平和のシンボルだ。

教会の前の石畳には「09 OKTOBER 1989」の文字と靴跡(くつあと)が彫られた金色のレリーフがはめ込んである(本書69ページの写真)。ベルリンの壁の崩壊をもたらした1989年10月9日の「決定的な日」の記念碑だ。

教会の中に入った。シュロの木をかたどったあの円柱が奥までズラリと並び、高い天井を支える。革命から30周年とあって、内部は祈りをささげる人々でいっぱいだ。教会の売店でワインを売っている。「平和革命30年　ニコライ教会」と書いた緑のラベル。革命から30年を記念したワインだ。

■非暴力の月曜デモ

この日の午後7時から「ルンデン・エッケ(円い角)」で革命30年を祝う映画祭が行われ

旧秘密警察の博物館で説明するホリッツァーさん

るという。ライプチヒの街の中心部に環状になった大通りがある。かつての城壁沿いの通りが、そのまま中心街を丸く取り巻く大通りになっている。「円い角」にいかめしい石造りの建物があった。

東ドイツ時代の秘密警察シュタージのライプチヒ支部だった建物だ。今は博物館となっている。シュタージは国家保安省の頭文字をとった略称で、ソ連のＫＧＢやナチスのゲシュタポのような、反政府派の市民を弾圧する悪名高い人権抑圧のための組織だ。

ちょうど革命３０周年の記念展をしていた。入口に「ライプチヒ、平和革命への道」と書いたピンクの看板がかかる。出迎えてくれた案内の女性ヨムトラウト・ホリッツァーさんは７６歳。革命のときは４６歳だった。１９８９年1月の段階で、この建物には２８９０人の秘密警察の要員がおり、その下で1万人が市民を監視していたという。

「この博物館が日本人を迎えるのは初めてです。私は1980年にライプチヒの合唱団のメンバーとして東京と広島の公演に行きました。デパートのエレベーターでバッハの曲が流れていて感激しました」と言いながら階段を上がる。手すりに「非暴力」「民主主義を」などと書いた、当時のデモで使われた旗や横断幕が掲げてある。

展示室でホリッツァーさんが最初に発した言葉は「壁が壊れるなんて、当時は考えられなかった」だった。「ニコライ教会で月曜に平和を考える集いが始まったのは1982年からです」。平和運動や環境運動を進める市民が中心となって毎週月曜日のミサの前後に、自由、軍縮、環境保護、基本的人権そして民主的な社会と政治決定に市民が参加する権利について話し合うようになったのが1982年だ。

そこから市民の運動は静かに進行した。88年2月には「市民よ、民主主義と人権のために、逮捕された人々と連帯しよう」と書いたビラがひそかに市内にまかれた。この日の月曜ミサで700人が平和への祈りをささげた。6月には街を流れる川の汚染を取り上げて、200人が「川の葬式」の葬列を組んだ。9月5日のミサのあとには、開かれた市民社会や人権などを求めて150人が旧市庁舎前のマルクト広場までデモをした。ほんの5分だったが、参加者にとっては大変な決心だった。

プラカードを掲げる５人の若者
＝1988年10月24日

■５人の若者の訴え

「ついには若者が教会の中でプラカードを掲げるようになりました」とホリッツァーさんが指さす先に、１９８８年１０月２４日の写真が展示されている。５人の男女が祭壇のわきに立つ。髭（ひげ）もじゃの男性、長い髪の女性、みんな歯を食いしばったような緊張した面持ちだ。ミサに来た人々に見せようと両手で体の前に掲げたプラカードには「我々は考えなければならない。前に進まなければならない」と、手書きの力強い文字が踊る。

ベルリンの壁の崩壊に至る革命への道は、ここから始まった。当時、政府に公然と異議を唱えるなど考えられなかった。秘密警察に逮捕されて牢獄に入れられるのが目に見えていたからだ。反政府のスローガンではなく「考える」「前に進む」という抽象的な言葉だが、見知らぬ人々に向けて顔をさらして呼びかけるには大きな勇気が必要だった。教会の中に秘密警察のスパイが紛れ込んでいたからだ。

たった5人の若者の無言の行動が、人々の勇気を奮(ふる)い起こさせた。この5人のほかに、写真に写っていない人々もいたのだろう。11月9日には200人がロウソクを手に、社会変革を呼びかける冊子を配りながら沈黙の抗議デモをした。89年に入ると手分けして街の家々に4000枚のビラを配ったが、呼びかけた人は秘密警察に逮捕された。それでも呼びかけに応えて1月15日、500人が市中心部のマルクト広場に集まった。これまで政治的な活動などしたことがない人が初めて大勢、参加した。

改革と民主主義、表現の自由を求める演説のあと、みんなでデモを始めた。市街地から外に出たところを警察が襲い掛かり、53人が逮捕された。5月の地方選挙のさいには1000人が選挙の不正を訴えてデモをし、76人が逮捕された。6月10日には一人の学生が呼びかけて、当局に無届けのまま街角の音楽祭を開いた。正午に警察が現れて音楽家を連行したが、残ったメンバーはなお演奏を続けた。19日には教会のミサのあと、街の環境汚染を問い1000人が無言のデモを行った。地元紙がデモを報道するようになった。

広く知られるようになったのは恒例の見本市がきっかけだ。1500人が参加した9月4日の月曜デモを、見本市の取材に来た西ドイツのテレビが放映した。12日には対話を求める市民団体「新フォーラム」がベルリンで結成され、10日間で3000人が結集した。

9月25日の月曜ミサでは、牧師が非暴力での抗議行動を訴えた。「秘密警察は張子の虎だ」と恐怖の克服を呼びかけると、5000人が手をつないで初めて環状道路をデモした。別れ際に「来週の月曜もやるぞ」と声が出た。その力が政府を倒すことになる、毎週月曜の定例デモが開始されたのは、この日である。

10月2日の月曜デモは「非暴力」の横断幕を掲げ、2万人が参加した。「我々こそが民衆だ」という声が初めて出た。武装警察がこん棒をふり回し、その週に3318人が逮捕された。ライプチヒで初めて「新フォーラム」の公開会合が開かれ700人が参加した。

■決定的な日

「平和革命か流血革命かの分岐点となる決定的な日」と呼ばれるのが、翌週の10月9日だ。早朝7時半、ニコライ教会に白い垂れ幕が下がった。ベッドのシーツに「人々よ、無意味な暴力はふるうな。手を携えよう」と書いた。午前中、市内の工場や企業、学校に市民の行動に参加しないよう通達が出された。当局は8000人の武装警官を動員した。午後2時10分、ニコライ教会はすでに人でいっぱいになった。午後3時半、ライプチヒが誇るゲヴァントハウス管弦楽団の指揮者クルト・マズアら「ライプチヒの6人」と言われる人々が非暴力と対話の解決を求める声明を出した。その訴えは街のあちこちで拡声器を使って広がった。

ニコライ教会のミサが始まったのは午後5時だ。同じころ市内の聖トマス教会そして聖ミカエル教会でも初めて、平和を求めるミサが行われた。午後6時、ミサを終えた人々がデモに出発した。三つの教会を合わせて、その数は7万人にも達した。環状道路は人また人で埋まった。参加者は口々に「非暴力」「警官よ、私たちに加われ！」「我々こそが民衆だ」と叫んだ。

そのあまりの多さに、当局はたじろいだ。初めて武力弾圧をあきらめて引き下がった。警察署の前も素通りできた。秘密警察の長官は後に「我々はすべての事態に備えていた。ロウソクと祈り以外は」と話した。民衆の側が一人でも暴力的な行為に出ていたら、それを口実に取り締まられただろう。非暴力の行動が勝利をもたらしたのだ。デモが解散する午後8時半まで、街は人々の解放区となった。

16日の月曜デモは15万人に倍増した。「新フォーラムを認めよ」「発言の自由を」など数えきれないほどの横断幕が掲げられた。東ドイツのテレビが初めてデモを放映し、2日後にはホーネッカー国家評議会議長が辞任に追い込まれた。

23日と30日、デモはさらに倍増し30万人に膨れた。地元紙は「人々は頭を高く掲げ、尊厳を取り戻した」と書いた。11月4日にはベルリンに波及し、東ドイツ史上最大の50万人を超す人々がデモをした。6日のライプチヒの月曜デモは雨の中、30万人が歩いた。当時のライプチヒの人口は約60万人だった。人口の半数がデモに参加したのだ。その2日後、政府は新フォーラムを政治組織と認めた。翌9日、ベルリンの壁が崩壊した。

ニコライ教会の月曜デモは、壁の崩壊後も続いた。13日は市内七つの教会で平和を求めるミサが行われ、15万人がデモをした。「ドイツ、ひとつの祖国」のスローガンが初めて登場した。東ドイツ全土で100万人がデモをした。

月曜デモは11月から12月にかけ20万人規模で続き「東西ドイツの統合を」と訴えた。12月、当時のミッテラン仏大統領がライプチヒを訪れ「この町はヨーロッパの歴史を変えた」と称えた。

1990年に入っても月曜デモは続いた。1月15日の15万人からしだいに減り、3月12日の7万人が最後だ。その6日後、東ドイツで初めての自由選挙が実施された。

ライプチヒが革命の中心になった理由は、①東ドイツ最大の工業都市で環境破壊がひどく市民の不満が強かった、②定期的に見本市が開かれ西側のメディアが訪れてデモを報じた、③ニコライ教会が自由な討論の場となった、などが挙げられる。一方、成功した理由は一言で言える。非暴力に徹し、大勢の市民を巻き込んだことだ。

博物館の展示に、黒い水の中で魚がきれいな水を求めて泡を吹く絵がある。公害を告発する若者が描いた。ホリッツァーさんの息子もそのグループのメンバーだった。若者85人が逮捕されたとき、市民は「町のために立ち上がった若者」を擁護した。若者が街頭で無許可の音楽演奏で抗議した集会には、大人も参加した。ホリッツァーさんもその一人だ。

「逮捕される不安はいつもつきまとった。でも、やっていくうちに立ち向かう勇気がどんどん湧いてきた」と彼女は話す。恐怖政治の中で勇気を奮い起こした人々が歴史を変えたのだ。

■勇気を出した20人

ライプチヒからさらに南の街ドレスデンを目指した。チェコとの国境地帯にあり、街並みはエルベ川に沿う。以前はザクセン王国の首都だった。川沿いの広場に黄金の騎馬像が立つ。この街が最も発展した18世紀に支配したアウグスト強王だ。川向こうの旧市街には宮殿や聖母教会など壮麗(そうれい)な建築がそこかしこにそびえる。どこを見ても絵になる。あのイタリアの花の都にちなんで「エルベ川のフィレンツェ」と呼ばれる。

ところが、美しいこの街が第2次世界大戦中、米英軍から無差別爆撃された。スペインのゲルニカ、中国の南京と並んで大量虐殺の被害を受けたのだ。爆撃で街の85%が破壊され、10万人が亡くなった。街のシンボルである聖母教会は爆撃で焼け落ち、原型をとどめないまで破壊された。

その廃墟が強権的な東ドイツ政府に対する抗議運動そして平和運動の出発点となった。19

1989年10月8日と20人の名を刻んだ道路
（20人の名は「1989」の右横に列んでいる）

82年の2月の爆撃記念日には、花とロウソクを手にした400人が集まった。そこからライプチヒ同様、市民の大きなうねりにつながる。

勇気を出したのはライプチヒの若者だけではない。ここドレスデンの市民も同じだった。この町の「決定的な日」はライプチヒに1日先立つ1989年10月8日だ。市民のデモが市中心部で警官隊と対峙（たいじ）した。夜9時だ。一触即発の中、警察側が「話し合おう」と声をかけた。

勇気を奮い起こした市民が一人また一人と前に出て、20人が一直線に並んだ。対話が衝突を回避させた。警察側は撤退した。非暴力による市民の勝利だ。20人は分担して話した内容を市民に伝えた。今、20人が並んだ場所には石畳に「8．OKTOBER　1989」と、この日の日付が彫られ、勇気を出した市民の名が刻まれている。

このあたり一帯は近代的な繁華街だ。広場をはさんで両側に商店街が並ぶ。その中には、ああ、ここでも黄色い「M」のマックの店が進出していた。

新市街の広場に面した建物の壁には、旗やプラカードを掲げた大勢の人々の写真がパネルになっている。1989年12月19日にこの街で行われた集会を撮影したものだ。この日、当時の西ドイツのコール首相が初めて正式に東ドイツを訪問し、東ドイツ最後の指導者となったモドロウ首相とドイツ統一を目指して会談したのが、このドレスデンだった。人々は「ドイツ、ひとつの祖国」とシュプレヒコールを上げた。写真のプラカードにも「ドイツ、ひとつの祖国」と書いた文字が見える。

事実、このあと東西ドイツの統合に向けて話し合いは急速に進んだ。翌1990年になると経済・通貨・社会同盟条約が締結され、東西ドイツの統一条約が調印された。合意は急速に成立し、10月3日の午前零時を期して統一は完成した。ベルリンの壁の崩壊から1年もたたずして、分断から統合へと歴史は大きく動いたのだ。

勇気ある少数の人々が一歩を踏み出し、共鳴した大勢の人々が体を張って主張した成果である。

これを機に、ドレスデンの抗議運動の出発地となった聖母教会の再建運動が広がった。建築家や美術史家が集まって、空襲で破壊された断片8500個をつなぎ合わせるパズルのような事業に取り組んだ。市民がかつての教会の写真を持ち寄って、入口の扉を再現することができた。教会の十字架を製造した金細工職人はイギリス人で、彼の父はドレスデンを爆撃した爆撃機の搭乗員だった。国境を超えた人々の熱意が実を結んだ。「かつての敵同士の和解を象徴する建築物」として2005年、元の姿が再現された。教会の正面には、爆撃を生き延びた宗教改革者ルターの銅像がそびえ立つ。

2 チェコ――自由な言葉を求めて

■革命の現場チェコへ

ドイツをあとに、チェコの首都プラハに向かおう。ドレスデン駅を朝9時10分に発車した国際特急列車ユーロシティ171に乗った。白と赤の車体が美しい。乗車時間は2時間16分だ。エルベ川に沿って、車窓には田園風景が展開する。のんびりした風景を見ながら、30年前に取材に入ったチェコの革命を思い出していた。私にとって東欧革命のさいに、ドイツよりも印象に残ったのがチェコだった。

あのとき、日本から飛行機でチェコの首都プラハに入ったのは1989年12月8日だった。街の中心部の建物の壁はビラで覆われていた。市民が自分の意見を鉛筆やペンで手書きして勝手に貼ったものだ。

通行人がビラを一つ一つ丹念に、食い入るように読んでいる。たまたま居合わせた人同士が活発に議論を繰り広げる。立場は違っても喧嘩腰ではなく、冷静な議論を展開している。この国には民主主義が生きていると実感した。

それも驚くにはあたらない。チェコは第1次世界大戦後に独立したあと、第2次大戦が開始するまでの21年間、西欧のような議会制民主主義の共和国だった。フランスにならった人民主権、基本的人権の保障、少数民族の保護をうたう憲法ができ、短い期間だが、高度な市民社会が発達した。第2次大戦後はソ連の勢力範囲となって言論が圧殺されたが、いったん存在した民主主義の伝統は、ひそかに生き続けていたのだ。

街を歩くたびにどこからともなく音楽が聞こえた。音楽大学の学生が10人くらいで小さなオーケストラを編成し、街角のあちこちで演奏した。曲はチェコの作曲家スメタナの連作交響詩「わが祖国」の第2曲「モルダウ」だ。ちょうど日本人が「故郷(ふるさと)」を歌うことで郷愁を感じるように、この曲はチェコの人々の琴線(きんせん)に触れる。革命が進行する間、あたかも革命のテーマソングのように旋律が流れた。

チェコに入って2日後の12月10日、革命勝利集会が首都中心部のヴァーツラフ広場で開かれた。長さ750メートル、幅60メートルの細長い広場に30万人もの市民が集まった。だれの胸にも赤、白、青の三色のリボンが揺れる。国旗の色であり、革命のシンボルでもある。ソ連のくびきを脱して、ようやく国の主権を取り戻した喜びを込めた。

寒い。なにせ気温は零下10度だ。石畳から靴に冷気が染みこみ、立っているだけで足が凍えそうだ。しきりに足踏みをする。メモをとろうとするが3分で指がかじかみ、動かなくなる。手を手袋に入れて温まったところでペンをとりなおす、その繰り返しだ。

■ビロード革命

午後2時、集会が始まる時刻になると、いっせいに拍手が沸いた。30万人が万感の思いを込めて激しく手をたたく。音が石畳と石造りの建物に反響し、地鳴りのような轟音(ごうおん)となって耳をつんざいた。

歓声がピタリとやんだ。人々の視線は、広場に面したビルのうち社会党機関紙「自由な言葉」の本社ビル4階のバルコニーに注がれている。マイクの前に現れたのは、白い薄衣を着た中年の女性だった。彼女はしばらく沈黙したまま群衆を見ていたが、やがて歌いだした。かすれたアルトの低い歌声がこだまする。

そのとき広場を埋めた人々が帽子をとり、右腕を高く伸ばして掲げ、手袋をとった素手でVサインを示した。肌を突き刺すような厳寒の寒気にしばられて、白い指は見る見るピンクに染まっていく。あたかも30万の白いVの字の花がしだいにピンクに染まるようだ。

彼女の名はマルタ・クビショバ。この20年間、歌を禁じられていた元歌手である。

革命勝利集会でVサインを示す30万人の人々＝1989年12月10日

1968年に起きた歴史的な事件が「プラハの春」だ。当時、新しく生まれたドプチェク政権は自由化の政策を進め、「プラハに春が来た」と言われた。しかし、ソ連軍が戦車を侵攻させ、ドプチェク政権を武力でつぶした。そのとき27歳の若手歌手だったマルタさんは、ソ連の侵攻を批判した。そのため彼女は1969年以来、人前で歌うことを禁じられた。

その彼女が20年ぶりに公然と歌う。歌った曲は「祈り」だ。これも禁じられた歌だ。禁じられた歌手が禁じられた歌を歌うのを目の当たりにして、本当に自由な社会がやってきたことを人々は実感した。

真っ青な空の下、しんとした広場に朗々とした歌声が響く。みんな息をするのも控えるかのように黙って、目はしっかりと彼女を見据え、聴き入っている。こぼれ落ちる涙をぬぐうのも忘れて。歌の間中、掲げたVサインの右手を下ろそうとはしない。左手は強く握りしめている。張り詰め粛然(しゅくぜん)とした空気の中で、凛とした歌声が心臓を突き刺す。歌は2分続いた。たった2分の歌だが、永遠に続くように思われた。

歌が終わり、替わってマイクの前に立ったのは優しい目をした男だ。劇作家のヴァーツラフ・ハヴェル氏。革命の推進力となった市民団体「市民フォーラム」の代表である。半年前まで投獄されていた彼は、この直後に大統領に就任する。きのうまでの反逆者が、今や国の指導者だ。

彼は「この3週間で我々は平和な革命を達成した。21年前に止まった時計が動きだした。しかも、驚くべき速さで。今、この国は一つのフォーラム(広場)になった。みんな自由に自分の意見を言える」と語る。聴衆の一人が拍手した。その音が一気に拍手の渦をわき起こした。うなりのような拍手である。

チェコの革命の特徴は二つある。その第1は、誰も死ななかった無血平和革命であることだ。人間にやさしい革命という意味で、肌ざわりのいい布にたとえて「ビロード革命」と呼ばれた。

第2は、急速に進んで短期間に成功したことだ。革命勝利集会の約3週間前、ナチスに抵抗した学生が射殺されて50年目の記念日の11月17日、学生たちが自由化と政府指導部の退陣を叫んでデモをした。灯をともしたロウソクを手にした非暴力の訴えだ。女子学生は警官に花束を手渡そうとした。

ところが参加者が予想を超えて5万人に膨らんだ。デモ許可の条件をはずれて都心にはみ出た学生を、警官はこん棒で殴った。混乱の中で学生が一人死んだといううわさが流れた。事実は誰も死んではいなかったが、無抵抗の学生に警官が暴力を振るったことが市民の反政府感情を爆発させた。

2日後の19日、反体制の知識人や芸術家を中心に市民団体「市民フォーラム」が結成された。翌20日に開かれた抗議集会には20万人が結集した。集会は毎日行われ、そのたびに参加者が増えた。24日には35万人に膨らんだ。その日、ヤケシュ書記長が退陣した。25日には50万人に達した。27日にはゼネストが全土で行われた。もはや支えきれないと悟った新政権は28日、一党支配の放棄を宣言した。最初のデモからわずか11日後だ。

「ポーランドは10年、東ドイツは10週間、チェコスロバキアは10日」と書いたポスターが街頭に現れた。あまりの急速な展開に、当の市民も驚いたほどだ。

■豊かな社会主義

チェコで私が驚いたのは、生活と文化の豊かさだ。当時のソ連・東欧といえば生活物資は劣悪だというのが常識だった。ソ連では1個のパンのために吹雪の中を50メートルの列ができる、と言われた。ところが、チェコは違った。

首都の市民の3分の1が別荘を持っていた。市街から電車で1時間走れば林の中や湖畔に2階、3階建ての山小屋風の別荘が見える。ボートを持つ家もあちこちにある。敷地面積は普通、300から500平方メートル。2階建ての別荘なら1階は居間と台所、2階に寝室三つあるのが一般的だという。市街地の本宅は平均3LDKで70平方メートルだ。各家庭は平均1台、自家用車を持っていた。

当時の日本よりも生活水準は高い。デパートにいけば商品があふれていた。食料や日用品は格安で、パンや牛乳はほとんどただ同然の価格だ。牛肉1キロが平均家庭の月収の150分の1だ。日本に当てはめれば、月収が30万円なら牛肉1キロが2000円ということになる。

当時の西欧に比べれば品質は落ちたし、電気製品やぜいたく品は割高だが、とりあえず足りないものはない。婦人服もしゃれたデザインが多い。工業国だし、農業の自給率も100%を超える。ソ連やポーランドから国際列車に乗って買い出し客が来ていた。

教育は大学まで無料だし、医療も無料だ。週の労働時間は42時間で、きちんと守られていた。月曜から木曜までは1日に8時間半働き、金曜日は8時間で、夕方になると自家用車で家族そろって別荘に行き、週休2日の土日を森や湖で骨休めし、日曜の夜に市街の家に帰る。当時の日本では週に48時間労働で、それさえも守られておらず、無給で深夜まで働く「サービス残業」が当たり前だった。それに比べるとチェコは、はるかに人間的な社会だ。

■精神の自由を愛する気風

首都プラハはかつて「北のローマ」と呼ばれた。今も「百塔のそそり立つ黄金の都」と言われる。中心部の丘には9世紀に建設が始まったプラハ城がそそり立ち、丘の麓から旧市街に向かってブルタバ（モルダウ）川にカレル橋がかかる。長さ500メートルの石橋の欄干（らんかん）にはフランシスコ・ザビエルなど石の彫刻30体が立つ。川には野生の白鳥やユリカモメが群れ、積もった雪の中、赤いヤッケを着た男の子が白鳥にパンをやっている。

対岸の旧市街は重厚な造りの古い建物が密集する。軒先には紋章や動物をデザインした彫刻がのぞく。中心部にある旧市庁舎の壁には中世の職人が技術をこらした、からくりの天文時計が目を見張らせる。定時になると小窓が開き、キリストの十二使徒の人形が顔を出す。

その前の広場には１５世紀に宗教改革を唱えて火あぶりにされたヤン・フスの像が立ち、台座には「真理を探せ、真理を愛せ、真理を語れ、真理を抱け」と彫られている。フスは聖職者であるだけでなく学識者で、カレル大学の総長だった。石畳の街を歩くだけで精神の崇高な気高さを感じさせ、背筋がピンと伸びるのを実感する。「精神の自由を愛する」のが、そもそもチェコ人の民族的な気質なのだ。

旧市街の先にあるのが新市街だ。「年代的には、いつからの街を新市街と言うのですか？」と聞くと、「１４世紀以降です」と言われて絶句した。

こうした中で文化も発展した。人造人間を意味する「ロボット」は、チェコの作家カレル・チャペックが造語して世界中で使われるようになった言葉だ。人間の労働を肩代わりするために作られたロボットが反乱を起こして人間を支配するが、やがてロボット自身が愛情を育み、新しい人間として再出発するという筋立てである。フランスで活躍したアールヌーボーの画家ミュシャはチェコ人で、本来はムハと発音する。

文化はさらに幅広い。名高いボヘミアガラスの中でも、鋭利で繊細なカットが鮮やかなレース模様を描き出して水晶のようにキラキラ輝くクリスタル・ガラス。それはステンドグラスの伝統が活かされたチェコならではの工芸品だ。建築で言えばプラハはロマネスクからゴシック、ルネサンス様式からバロック、ロココまでどの時代の建築もそろっている。第1次大戦、第2次大戦の空襲を免れたため、欧州の建築遺産がこの街に集中して残る。広島の原爆ドームは広島県物産陳列館として、チェコ人のヤン・レッツェルの設計で建設されたものだ。

音楽ではドヴォルザークとスメタナという2枚看板の作曲家がいる。「プラハの春」はもともと、スメタナの命日である5月12日にプラハで開かれる国際音楽祭の名だ。幕開けはスメタナの「わが祖国」、締めくくりはベートーベンの第九「歓喜の歌」と決まっている。

ビロード革命のさなか、発端となった学生デモの1週間後、プラハのスメタナ・ホールではチェコフィルハーモニー管弦楽団によって「わが祖国」が演奏された。革命の勝利集会から4日後の12月14日には、同じ場所で第九を合唱付きで演奏した。ビロード革命は「プラハの春」の音楽とともに進行したのだ。

革命の勝利を記念する第九のコンサートには、私も行った。会場に着くと窓口にはたくさんの人が並んでいる。すでに満員と言われたが、日本から取材に来たというと前から3列目の特別席を提供してくれた。演奏が終わるとカーテンコールは4度を数え、拍手は20分間鳴りやまなかった。演奏後に第2バイオリンのヨゼフ・クラトフィル氏に聞くと、「生涯で最も楽しいコンサートでした」と感慨深い面持ちでつぶやいた。

スメタナは「わが祖国」で民族の自由をうたい、自ら武装して反オーストリア蜂起に参加した。ビロード革命で獄中の人から大統領になったハヴェル氏は劇作家である。いわば憲法9条を護ろうと「九条の会」を立ち上げた井上ひさしさんが日本の首相になったようなものだ。チェコでは芸術家は「国の精神」と尊敬されている。それにふさわしい行動をしたのだ。

■思い起こし行動しよう

それから30年の月日がたった。ベルリンを出発した列車がプラハ駅に着いたのは午前11時26分だ。入ったホテルは、マルタ・クビショバさんが歌った社会党機関紙「自由な言葉」の本社ビルのすぐ近くだ。

当時の取材場所に立つと、広場に面した建物の1階はマクドナルドやケンタッキー・フライドチキンなど外資系企業が目立つ。重苦しかった広場が、今や一変して華やかになった。建て替わったビルもある。しかし、「自由な言葉」のビルはそのまま残っている。マルタさんが歌ったバルコニーも当時のままだ。とはいえ、ここも1階は英国の衣料品店マークス&スペンサーの華やかな洋服店に変わった。広場から見上げた風景が当時の印象と何か違う。歩道に沿って連なる並木が成長して高くなったせいだ。30年の歳月を感じる。

かつて30万人が集まった広場には今、あちこちに木のベンチがあり、名言が刻まれている。革命後に大統領になったハヴェル氏の言葉「真実は虚偽に、愛は憎しみに勝たなければならない」もある。その先には長さ100メートルにわたって、5メートルおきに大きな写真のパネルが展示してある。「ビロード革命」当時の写真だ。

広場の一角には観覧車をかたどったような展示物がある。写真やスローガンがくるくる回転する。展示のタイトルは「引き継ぐ――理解し、比較し、記憶し、そして行動するために」。その下に「革命から30年たって、チェコの民主主義は脅かされている。行政と司法が癒着し、政権が憲法を無視し、倫理も放棄し、権威主義に陥った」と書いてある。現在の首相が独裁的だという批判だ。

革命を主導した芸術家たちの写真と、今の政権への思いが掲げてある。独裁時代に地下運動をしていた男性は、「民主主義には絶えざる気配りが必要だ。怠れば無になる」と語っている。かつての志を思い起こして、今の政権を打倒するために行動しようと呼びかけた。

チェコの革命のきっかけとなった1989年11月17日の学生デモから30年目の2019年の同じ日、現在の政治に抗議して当時と同じ30万人が当時と同じ道をデモし、路上にロウソクを置いた。街頭で当時の映像が映され、街は当時さながらに三色旗で埋まった。30年たって新たな政治危機が生まれたが、革命の熱気もまた再燃したのだ。

「共産主義博物館」があった。30年前までの独裁時代を記録する写真や映像、資料などを展示している。この国を支配していたソ連型の共産党政権の下で、人々の人権は抑圧された。

革命当時を語るペトル・クチェラさん

ガイドのミシャさんは「小学校のとき、メーデーに参加しないと、学校でいじめられた」と言う。小学校から高校まで週に一度の国防授業があり、ガスマスクの付け方や救急医療の仕方を教わった。1968年の「プラハの春」でチェコに侵攻したソ連軍の兵士の言葉が書かれている。「我々は、チェコに内戦が起きたから人々を助けに行く、と上官から聞かされた」と言う。いつの時代も、政治は兵士をだまして無用な戦いに駆りたてる。

■広場のように話し合う

革命を率いた「市民フォーラム」の創立者の一人、72歳のペトル・クチェラさんに会った。当時は社会党機関紙「自由な言葉」の国際担当の記者だった。革命勝利集会が「自由な言葉」の建物で行われるよう、おぜん立てをした人だ。革命に至るデモには彼も参加した。

「学生たちのデモの2日後に、友人で後に大統領となるハヴェルらと反政府団体を結成した。名を『市民フォーラム』と名づけたのは、いろんな考えの人が集まって広場のように話し合うためです。一党支配の中で、革命の実現方法など考えが100％同じではないけれど、同じ目的を達成する点で一致した人たちが集まった」と語る。

方法が違うからと分裂するのではなく、目的が同じならいっしょにやろうという姿勢を貫いたのだ。市民フォーラムは、最初は100人で発足した。その30周年の記念の会を前日に催したばかりだ。当時のことを聞こうと、若者たちが大勢詰めかけたという。

革命後、彼は国会議員になった。東欧革命の結果、資本主義が社会主義に勝ったと言われた。クチェラさんの考えは違う。「20世紀に生まれた社会主義は、アイデアとしては悪くなかった。実際、社会主義の力によって児童労働が禁止され、女性も参政権を得た。社会福祉や教育が進んで貧しい人も大切に扱われたし、教育が高いレベルに進んだ。資本主義の下で競争が進み経済は発展したが、人間はひどくなった。社会への目配りが必要です」と語る。

さらに「ソ連のシステムは社会主義ではなかった。人間が機械のように扱われました。ミッテランのフランスの方が正統な社会主義です。ソ連型の社会主義とナチスは同じようなシステムでした。今、私たちは精神の自由を得て幸せです。資本主義と社会主義から悪い部分を学んだのが今の中国だと思う」と率直に話す。

現代のチェコについて「今は上から強制されるのでなく、やりたいことを自分たちで決めることができる。今がチェコの歴史上で最も豊かな時代です。幸せです」と満足げだ。今の政治が批判されている点にも触れた。「チェコが本当の民主主義の社会を実現するには、これから30年から50年かかるでしょう。新しい世代になってからです」と遠い先を見通す。焦らずに対話を通じてじっくり進めば、その先に明るい未来があると確信している目だ。

「チェコ人は明るい。『いつも文句を言う民族』と言われますが、一方でユーモアのセンスがあります」と、チェコ人の国民性を語る。そういえば兵士の目から戦争の愚かさを描いたヤロスラフ・ハシェクの『兵士シュヴェイクの冒険』もユーモアたっぷりだった。

クチェラさんの妻はプラハのカレル大学で日本語を学び、クチェラさんといっしょに「自由な言葉」の国際部で働いていた。英語もできたので市民フォーラムの記者会見のときは外国人記者のために通訳をしていたという。もしかして私もお世話になったかもしれない。

街角の書店ではショーウインドーに「1989」と書き、当時の革命に関わる本を並べていた。革命の勝利記念コンサートが開かれたスメタナ・ホールを訪れると、燃えるようなオレンジ色のパッケージのCDが目を引きつけた。プラハ交響楽団が「わが祖国」の新版を出したのだ。これからも政治がおかしくなったときは、この曲が人々を鼓舞するのだろう。原点に戻れ、と。

3　ポーランド――「連帯」による抵抗

■最初は一人の女性から

最後に、同じ旧東欧のポーランドのグダンスク（グダニスク）から伝えよう。東欧革命の発火点となった街だ。レフ・ワレサ氏が率いた自主管理労組「連帯」の発祥地である。2015年にピースボートの船旅で訪れた。

街から突き出た半島の丘の上に、コンクリート造りの塔のような記念碑があった。1939年9月に第2次大戦が勃発しドイツの海軍がこの街を占領しようとしたとき、半島にいたポーランドの守備隊が抵抗した。わずか180人の守備隊が3500人のドイツ軍を相手に1週間持ちこたえた。彼らの勇敢な戦いの記念碑である。

街に入ると石畳の遊歩道の両側に、中世風の重厚なレンガ造りの建物が軒を密着させて並ぶ。運河にはロケットのような形をした木製の滑車があり、この街が古くから貿易で栄えたことを見せつける。海沿いの140ヘクタールの広大な敷地に、1807年からの歴史を持つ大規模な造船所がある。今も巨大な船がいくつも建造中だ。タンカーも複数見える。東欧革命の出発点となったレーニン造船所だ。今は名をグダンスク造船所と替えた。

ベルリンの壁が崩壊した1989年、東欧の独裁政権が雪崩をうって民主化した動きの先鞭をつけたのがポーランドだ。のちにノーベル平和賞を受賞したワレサ氏を代表とするレーニン造船所の労働者がストに突入し、全国民を巻き込んだ民主化運動を展開した。

それまで独裁政権下の労働組合は、政府の言うなりになる御用組合でしかなかった。独立自主管理労組「連帯」が結成されたのが1980年だ。社会主義国として初の労働者による自主的かつ全国規模の労働組合である。

きっかけは一人の女性労働者だった。レーニン造船所のクレーン技師で33年もここで働いてきた女性のアンナ・ワレンティノビッチさんが、定年退職の5ヵ月前に窃盗の容疑で懲戒解雇の処分を受けた。人情味あふれた彼女は、造船所の人気者だった。共産主義者で「労働英雄」の称号も受けた働き者だ。まじめな人で、造船所の御用組合の幹部が私腹を肥やしていたのを指摘した。かつて解職された労働者を追悼するためロウソクを準備しようと墓地のロウソクの残りを集めたことに、「窃盗」の容疑がかけられたのだ。懲戒解雇となれば年金ももらえない。

彼女にクビを言い渡した造船所の職員は、「あんたをクビにしないと私がクビを切られる」と言った。アンナさんは反論した。「私はクビを拒否する。あなたも拒否すればいい。あなたにクビを告げる役目の人も拒否すればいい。会社は全員をクビにするわけにはいかない」。

これを聞いた同僚たちは連帯した。彼女の無実と復職を求めて数百人の労働者がデモをした。このとき、塀を乗り越えて造船所の構内に入ったのが、失職中で36歳のワレサ氏だ。彼は独立労組を結成し「占拠スト」をしようと呼びかけた。これがすべての始まりだ。翌月に新労組「連帯」が結成され、ワレサ氏が議長になった。最初のメンバー65人の一人がアンナさんである。東欧革命は文字通り連帯から出発したのだ。

■「連帯」のたたかい

「連帯」は、ポーランドの民主化運動を主導した。当時のポーランドの人口は約3800万人だったが、その4分の1を超す1000万人の市民が自由を求めて「連帯」に結集した。抑圧体制の下でも、これだけの人を集めることができたことに感動する。

しかし、政府は翌1981年に戒厳令を公布し、ワレサ議長ら「連帯」の幹部を逮捕した。反政府派の市民が次々に、計1万人もの人が逮捕された。このときにポーランド政府に圧力をかけたのがソ連だ。国境に戦車を派遣し武力侵攻する姿勢を見せた。侵攻の口実を与えないため、ポーランドの政権は強権を発動するしかなかったのだ。

いったん鎮まった市民の運動は翌82年、復活する。メーデーの日に労働者側は10万人の抵抗集会を開き、一般国民も5月3日の憲法記念日に抗議集会を開催して支援した。そう、ポーランドの憲法記念日は日本と同じ日だ。ただし歴史は古く、近代成文憲法としてはヨーロッパで初めて、1791年に議会で採択された。

政府はワレサ氏らを釈放し、戒厳令も停止した。その後も弾圧は断続的に続いた。1983年にワレサ議長にノーベル平和賞が授与されたとき、彼は授賞式に出られなかった。いったん出国すれば帰国できない恐れがあったからだ。1987年に食料品や燃料などが大幅値上げになると、国民はゼネストで対抗した。

1989年になると「連帯」が中心となって全国委員会を結成して政府と交渉した。「連帯」を支持する国民が多いため、政府も「連帯」を正式な交渉相手として認めざるをえなかったのだ。その結果、自由選挙の実施で合意した。

この年6月に行われた国会選挙では「連帯」が圧勝した。ドイツのベルリンの壁が崩壊したのは、その5ヵ月後だ。翌90年の大統領選挙でワレサ氏が勝利し、ここに市民の側が完全に勝利した。

旧レーニン造船所を訪れた。案内してくれたのは民営化後に造船所の副所長になった設計技

「連帯」の横断幕が掲げられた旧レーニン造船所の門

師のアンジェイ・ナブロツキさん（70歳）だ。頭はすっかり白髪になったが、ワレサ氏とは大統領時代によく会ったという。

ワレサ氏が電気工として働いていた古い工場が、そのまま残っている。敷地内の庭にある赤レンガ造りの平屋建ては「連帯」の拠点となった建物だ。ストをした労働者と経営側とが、ここで21ヵ条の協定を結んだ。賃上げや食料品の値上げの撤回など生活の要求だけではない。党から独立した自由労組の承認や言論、集会など表現の自由の保障、スト権なども盛り込んだ。今、この建物は「連帯」の展示場となっている。

造船所の入り口の鉄の門には、「連帯」の旗のほかに、白地に赤で「SOLIDARNOSC」（連帯）と染め抜いた横断幕とポーランド出身の元ローマ教皇ヨハネ・パウロ2世の肖像画が掲げてあった。カトリック信仰が根強いポーランドでは、ローマ教皇の支持が精神的な支えとなった。そばの広場には軍隊と衝突したさいの犠牲者に捧げる、高さ25メートルの記念碑が立つ。十字架と錨の形をした塔が三つ立つのは、闘争のさいにこの場の衝突で亡くなった3人を忘れないためである。

■勝つためには友をつくること

その先には巨大な船の形をした記念館がある。自由選挙から25周年になるのを記念して2014年8月にオープンした「ヨーロッパ連帯センター」だ。「連帯」の足跡を記録し、東欧革命の意義を歴史にとどめようとする。東欧の革命の道筋をつけたのがポーランドの「連帯」だった。

欧州では過去を忘れるのではなく、そこから未来への教訓を得ようとする考えが根強い。パンフレットには「ポーランドの自由への道の経験から、私たちは今日なお民衆のエネルギーを引き出すことができる」と書いてある。

入ると広い吹き抜けだ。エスカレーターで2階に上がると、最初の部屋の天井は造船労働者のヘルメットで埋まっていた。レーニン造船所時代のタイムカードもある。床に置かれたのは、戦車に壊された造船所の鉄の門だ。壁には労組活動の流れが記してある。

展示品の中には、板に手書きされた21ヵ条の協定がある。地下活動時代の、いかにも性能の悪そうな古い印刷機もある。さらに政府を皮肉ったビラのほか、電気部品の抵抗器（レジスター）があった。戒厳令が敷かれて反政府の行動が何もできなかった時代、それでも人々は抵抗した。自由を求める運動のシンボルとして服の胸に抵抗器をピンで留め、「私は抵抗している」という屈しない意志を示したのだ。胸に抵抗器をつけるところにユーモアのセンスとともに、どんな抑圧にも抵抗するという強い気がまえが見える。

当局は、最初は目こぼししたが、やがて抵抗器を胸につけて歩く市民を見つけると警官が警察署に連行し、殴った。さらには逮捕し、3ヵ月の禁固刑の判決を受けた人もいる。それでもなお人々は胸に抵抗のシンボルを付けたのだ。

今の「連帯」本部は新市街にあり、入り口の外にはベルリンの壁の一部を2メートル四方に切り取って展示している。旧市街の一角には、かつてのワレサ氏の事務所跡があった。ワレサ氏は引退し、妻と2人で市内に住んでいた。子どもが8人いるそうだ。日本ではワレサというが、現地での発音はヴァウェンサだった。

どのようにしたら強権支配に勝つことができたのか。当時、ワレサ氏は言った。「暴力に訴えて勝とうとしたことはない。勝つためには、友だちをたくさん作ることだ」。

友だちづくりは、勝利したあとも続いた。ポーランドが東欧の中でも独特なのは、独裁政権と市民側の「連帯」が、最後には融合したことである。自由な選挙で「連帯」が勝利したとき、ワレサ氏は急がなかった。旧勢力が軍や警察を握っている中で急速な改革をすると、軍がクーデターを起こしかねない。彼は「あなた方の大統領、われらの首相」と説き、大統領は旧政権に、首相は「連帯」側が出す道を選んだ。両者の顔が立ち、かつ政権の運営がやりやすいようにしたのだ。閣僚のほとんどは、これまでの「反体制活動家」だった。

翌1990年にあらためて完全に自由な大統領の直接選挙を行い、ここで晴れてワレサ氏が大統領に就任した。

抑圧に抵抗し勝利するための秘訣(ひけつ)。それはここでも「連帯」だった。

■海から逃れる人々

グダンスクはかつてドイツ帝国の領土だった。当時の街の名をダンツィヒという。第1次世界大戦から第2次大戦の間は自由都市(都市国家)となり、精神的に自由な気風が生まれた。やがてナチスに併合される不気味な時代を描いたのが、ドイツの作家ギュンター・グラスの『ブリキの太鼓(たいこ)』だ。

ポーランドはかつてヨーロッパの大国だった。この国の悲劇は、周囲をより大きな大国にはさまれていることだ。歴史上、何度も国が分割された。とりわけ第2次大戦当時は東にスターリンのソ連、西にヒトラーのドイツという二つの軍事大国によって国土が分割され、国家が消滅した。戦後、国家はよみがえったが、国土の東はソ連に奪われたままになった。失った分、ドイツの領土の東の部分を手に入れた。国全体が大きく西に平行移動した形だ。

ドイツにとっては国土の東側を失った。ドイツの地図を見ると、首都ベルリンが国境地帯にあることに気づく。首都はふつう国の中央にあるものだ。かつては国の中心部にあったベルリンだが、東の部分がなくなったので位置が偏ったのだ。

今でもドイツとポーランドは近い関係にある。グダンスクからバルト海を船で西に行くと、ドイツ北部の港町ヴァルネミュンデに着く。その距離は東京と大阪ほどでしかない。この街を訪れて、東ドイツ時代にここから海をわたって西側に逃れようとした人々が多数いたことを知った。

バルト海に面した瀟洒（しょうしゃ）な町で、岬には魚のレストランが並び、突端に灯台が立つ。灯台は高さが32メートルで10階建てのビルほどもある。内部の螺旋（らせん）形の階段をつたっててっぺんまで登ってみた。

眼下に浜辺が広がる。白布とリボンで飾った椅子が並び、大きなスピーカーがロック音楽を流す。野外音楽会が開かれるのだ。今でこそ平和な風景だが、冷戦の時代には、この浜辺にびっしりと地雷が埋められていた。外敵への備えではなく、自分の国の国民が海から西側に逃亡するのを防ぐためだ。

1985年までは一帯の海岸線600キロにわたって38の監視塔が造られ、レーダーとサーチライトで常時、逃亡者を警戒した。陸上に968人、海上も534人の兵士がボートや潜水艇で、さらに上空からヘリコプターで24時間、見張ったという。それでも約5000人が泳いだり小さな船に乗ったりして領海外に逃げるのに成功した。しかし、成功したのは10人のうち1人でしかなかった。あとは殺されたか、逮捕されて収容所に送られる痛ましい結果となった。

■秘密警察の恐怖

ヴァルネミュンデから電車に乗ると30分でロストックの町だ。中世のハンザ同盟の中心都市で、旧東ドイツ最大の港湾都市でもあった。今もドイツ海軍の本部がある。

街には旧東独時代の悪名高い秘密警察シュタージの施設が博物館として遺されていた。なんの変哲もない、くすんだ黄土色の4階建てのビルだ。小さな表示がなければ、ただの事務所ビルとしか思えない。

入ると2階が取調室で、三つの階にわたって2列に独房が並ぶ。厳重な鉄のドアの中ほどに10センチ角の、外からしか開かない小さな窓があるだけだ。中をのぞくと、簡易ベッドと便器、洗面台しかない。こんなところに閉じ込められると気が狂うだろう。

反政府活動の容疑者を尾行するために、体臭を布に染み込ませて犬に覚えさせる道具や、釣りのクーラーに仕込んだ盗撮のためのカメラ、手錠や拷問道具などが展示してある。「非暴力で平和を実現しよう」というスローガンを壁に書いたというだけで20人の若者を逮捕した記録がある。西側の学生をスパイにするため大金を払った資料もある。思想の強制と管理主義がはびこれば、非人道的な行為がまかり通る。密告が奨励され、身内や友だちさえ信じられない世の中になれば、人の心はすさむしかない。そんな嫌な社会はごめんだ、と展示を見て思う。

教会や市庁舎などレンガ造りの古い建物が並ぶいかめしいロストックの街を歩くと、人々の表情がきつく感じられる。よそ者はまず疑うという秘密警察の時代の習慣の残滓(ざんし)がいまだに残っているような、嫌な気持ちになる。

6月なのに北の海から冷たい強い風が吹き付ける中、石畳に張り出した街頭の吹き抜けのレストランの椅子に、背を丸めて座った。長さ30センチもあるソーセージをはさんだホットドッグをほおばりつつ飲んだ生ビールは、ほろ苦かった。

ナチスの時代も、ソ連支配下の独裁時代も、人々は自由にものもいえない恐怖に脅えていた。それはドイツだけでなくチェコもポーランドも、そして他の東欧諸国も同じだった。21世紀の今も、同じように強権支配の国がある。ソ連を継いだロシア、一党独裁を続ける中国や北朝鮮、いやいや形は民主主義でもいたって非民主的な社会だってあるではないか。

他人ごとではない。東欧革命から今日を探る旅は、自由の大切さをあらためて確認する旅でもあった。

同時に、どんな抑圧の中でも人々は自由を求めるのだし、そのさいに孤立していては夢はかなえられないことも身に染みた。自由を得たければ、同じ思いの人たちと手をつなぐことだ。東欧の人々は、厳しい状況の中で連帯することによって、それを実現した。

ライプチヒの教会の5人の若者、ドレスデンでデモの前に出た20人、チェコで市民フォーラムに結集した人々、そしてポーランドで弾圧にひるまなかったアンナや彼女を助けようと自主労組「連帯」を組織した仲間たち。連帯すれば人間性に満ちた社会を取り戻せるという教訓を、東欧の革命に集った人々が教えてくれた。

最初はほろ苦かったビールだが、飲むほどに身体が温まってきた。

「人間の鎖」の記念切手

第3章 歌と人間の鎖で連帯した人々

―バルト三国―

1　バルトの大地へ

■歌と連帯が武器に勝った

大国、強国にはさまれた小国がどんなに大変か。大国だったポーランドでさえ、いったんは消滅した。ましてそれより小さい近隣の国は何度も大国に飲み込まれた。それでも独立したいという夢をかなえた手段が、歌と「人間の鎖」だ。

ヨーロッパの東北部にバルト三国と呼ばれる三つの国がある。スカンディナビア半島と欧州大陸にはさまれたバルト海に面し、北からエストニア、ラトビア、リトアニアの三国だ。民族や文化は違うが、同じバルト地域にあるのでひとくくりにこう呼ばれる。

東にロシア、西にドイツという強力な大国があり、領土を拡張しようとする両国の野望の餌(え)食(じき)になってきた。ヒトラーとスターリンが独ソ不可侵条約と両国の勢力圏分割を図る「秘密議定書」(バルト三国の一部をソ連の勢力下に置くことが決められていた)を結んだのが1939年だった。翌年の１９４０年、この三国は武力で無理やりソ連に組み込まれ、そのまま半世紀にわたって民族の存在を否定された。社会主義というよりも究極の管理主義社会だったソ連の時代、体制に不満を述べたり自由を主張したりすれば逮捕、殺害され、大勢の人々がシベリアの収容所に送られたのだ。けっして過去の話ではなく、つい最近まで続いた現実である。

暗黒の時代を耐えられたのは、歌があったからだ。三国とも民謡を歌う合唱の伝統があり、数年ごとの合唱祭でかろうじて民族の伝統を守り、共同体の意識を保った。自力で独立を勝ち取ったときにも、歌が大きな力を発揮した。エストニアでは３０万人が禁じられていた歌を歌い、禁じられたエストニアの国旗を掲げた。

さらに三つの国の国民が力を合わせ、三つの首都をつないで「人間の鎖」をつくり独立の意志を世界に示した。６００キロの道のりを２００万人もの人々が手をつないだのだ。これがソ連にも世界に対しても強烈なアピールとなった。ソ連は１９９１年に崩壊したが、その前にバルト三国は自力で独立を達成した。

「人間の鎖」が簡単にできたのではない。その前の年に環境問題をめぐってバルト三国だけでなく対岸のスカンディナビア半島の人々も加わり、バルト海を囲むように手をつないだ。そのときは「すべてが失われたように思えたとき、人は友の手を握る」と悲痛な発想だった。明るい未来はまだまだ遠い先だと思われた。それでも人々は連帯することで、将来に光を見たのだ。

いよいよ独立が間近になったときが最大の危機だった。ソ連軍が武力で介入してきたのだ。その時、リトアニアの指導者は「歌は数百年にわたり、私たちを助けてくれた。歌おう、今こそ歌おう」と人々に呼びかけ、非暴力の抵抗を貫いた。その手段が歌だったことを知ると、心が打たれる。手をつなぐこと、そして歌うこと。だれでもできそうではないか。でも、苦境に陥った時、わけても銃口にさらされたときに歌をもって闘うなど、なかなかできることではない。歌と連帯が武器に勝った歴史的な事実を知れば、私たちの人生に希望を見出すことができる。

■樺太より北の地

人間の不屈さを示す彼(か)の地に行ってみよう。200万人が手をつないだ道を、車で走ってみたい。人々がどんな思いで連帯したのか、聞いてみよう。30万人が歌った場所に行ってみたいし、可能ならそこで私も歌ってみたい。そう思って、にわかにスタディツアーを組織し、バルト三国をめぐる旅に出発したのは2017年9月だった。

日本とはなじみが薄い地域とはいえ、歴史上のつながりはある。ヒトラーの弾圧を逃れようとしたユダヤ人に「命のビザ」を発給した外交官、杉原千畝(ちうね)(1900~86年)が活躍したのは第2次大戦中のリトアニアだった。彼が寸暇(すんか)を惜しんでパスポートにサインした日本領事館が、カウナスという当時の首都に残っている。ここを訪ねよう。

バルトといえば、日露戦争の日本海海戦で敗れた帝政ロシアのバルチック艦隊は「バルト海の艦隊」という意味だ。ロジェストヴェンスキー司令長官率いる大艦隊は、当時ロシア領だったラトビアの港を出航して日本に向かった。そして今はと言えば、元相撲取りの把瑠都（ばると）がいる。彼はエストニアの出身である。エストニアには相撲協会があり、相撲の欧州大会も開かれているという。

バルトという名前の由来を調べると、ラテン語で「端、地の果て」を指し、ローマ帝国時代に果ての地だったから名付けられたと言われる。あるいはバルト海のさざ波が白く、ラトビア語で白をバルツと呼ぶのでこの名になったともいう。いずれにせよ、辺境の寒々とした地がイメージに浮かぶ。実際、緯度で言えば樺太（からふと）の北部に当たる。

訪問したのは9月の初め。短い夏が終わって急速に寒くなる時期だ。最高気温は16度で最低は8度だという。防寒具を用意して成田空港で飛行機に乗り込んだ。午前9時50分に出発するフィンランド航空AY072便だ。バルト三国に直航する便はないので、ひとまずフィンランドの首都ヘルシンキに行き、乗り替えてまずは三国のうち一番南にあるリトアニアの首都ビリニュスを目指す。

ソ連時代にはシベリア上空の飛行が規制されていた。このため日本からヨーロッパに飛ぶのにアラスカ経由や、ベーリング海峡を抜けて北極圏に入る迂回ルートが開発された。当時のアラスカ空港のうどんが懐かしい。しかし、ソ連の崩壊でシベリア上空を飛行できるようになり、今ではフィンランド航空の便もシベリアの上空を飛ぶ最短ルートを通る。

最短とはいえ、ヘルシンキまでは10時間かかる。機は日本海を抜けてユーラシア大陸に入り、延々とシベリアの荒野が眼下に続いた。時計の針を6時間戻して時差調整をし、ヘルシンキに到着したのは午後2時前。約2時間後に飛行機を乗り換えてビリニュスまでは1時間15分だ。午後5時半に到着すると、すでに外は暗かった。寒さに暗さが加わった。ここで生きることの大変さが到着早々、感じられる。

■命のビザの舞台

この日のうちにリトアニア第2の都市カウナスに向かった。第1次大戦と第2次大戦の間の22年間は、首都ビリニュスが隣国のポーランドに占領されていたので、カウナスが臨時の首都になった。このため日本の領事館はカウナスに置かれた。そこに領事代理として駐在したのが、ユダヤ人約6000人の命を救ったと称えられる杉原千畝だ。領事館の建物が今もそのまま杉原記念館になって公開されている。

カウナスは二つの川が合流する三角地帯に発達した古都だ。旧市街の中心部にある旧市庁舎は18世紀の建物で、真っ白い壁の正面に時計塔がそびえる。白鳥が首をもたげて泳いでいる姿なので、建物は「白鳥」と呼ばれる。近くには15世紀に建てられた教会や、同じ時期に再建された赤いレンガ造りのカウナス城がある。当時のリトアニアは南に領土を広げ最盛期を謳歌していた。領土は今のベラルーシやウクライナの地を含み、北はバルト海から南は黒海に達する広大なリトアニア大公国だったのだ。

街にはクレーンが立ち並び、あちこち工事だらけだ。歩道の敷石をはがして新しくしている。2022年にカウナスはヨーロッパの文化首都になることが決まっているので、街を挙げてお色直しをしている。川の土手にはリトアニア語でリトアニアを指す「LIETUVA」の文字とバスケットのボールが描いてある。バスケットボールはこの国で「第二の宗教」と言われるほど盛んなスポーツだ。

街を見下ろす高台の芝生に松が植えられている。立札には「この松は、2011年の東日本大震災の犠牲者を追悼するために植樹されました」という文面と、これを立てた「アレクソト」という団体の名、そして2011年4月11日の日付が書いてある。東日本大震災のちょうど1ヵ月後、この街の市民団体が日本の被災者に心を寄せて立てたのだ。うれしいではないか。これも杉原がまいた種が育てた親日感情の表れである。

郊外の高台の静かな住宅地にリンゴ並木が続く。その一角に、煙突が伸びる赤い屋根で白壁の、一見ごく普通の2階建ての家がある。通りに面した石の二つの門柱には、左側に日本語で「希望の門。命のヴィザ。」と、右側にリトアニア語で同じ内容が掲げられている。これが旧日

カウナスの旧日本国領事館にある杉原千畝の机

本国領事館で、現在は杉原記念館だ。

中に入ると右手に、床が板張りのがらんとした部屋がある。壁際に木造りの広い机があり、木の椅子の後ろの壁に日の丸が垂れ下がる。杉原の執務室だ。机の上には杉原と子どもたちの額入りの写真が置かれ、タイプライター、電話器、インクと書類が並んでいる。

書類は、杉原自身がユダヤ人のパスポートに書いた文面のコピーだった。ペンで「通過査証（加奈陀行敦賀上陸本邦経由）本邦滞在拾日間限　昭和十五年七月弐拾四日　在カウナス　大日本帝国領事代理　杉原千畝」と記してある。加奈陀とはカナダのことだ。シベリアを通って船で日本に渡航し、福井県の敦賀港で上陸して10日以内に出国してカナダに向かうように、という内容の通過ビザだ。一人一人のパスポートにいちいち手で書き付けるのは大変だったろう。その総数が記録に残るだけでも2193通にのぼると杉原記念館の資料に書いてある。一方、東京の外務省外交史料館の記録では2140通となっている。いずれにしても2100通以上も手書きしたのだ。最後はペンが折れたというが、誇張とは思えない。

壁には杉原の生い立ちから人生を綴った年表や功績などが、当時の写真とともに展示してある。ユダヤ人がなぜここにビザを求めてきたかの経緯もある。

迫害されたユダヤ人の身になって、当時の状況を眺めてみよう。

■人道・博愛精神第一

第2次大戦が勃発する直前の1939年8月、ヒトラーのドイツとスターリンのソ連が独ソ不可侵条約を結んだ。付属した密約で、両国の間にある地域を分割した。ポーランドの西半分をドイツがとり、ポーランドの東半分とバルト三国のうちエストニアとラトビアをソ連がとる身勝手なものだ。9月、ドイツはポーランドに侵攻しポーランドの西半分を、同時にソ連も侵攻しポーランドの東半分を占領した。

パニックに陥ったのはポーランドにいたユダヤ人だ。すでにドイツ国内ではユダヤ人の迫害が始まっていた。ポーランドのユダヤ人も他の国に逃げなくてはならない。同じ9月、第1次大戦後にポーランド領となっていたリトアニアもソ連の影響下に入ることになった。そこでポーランド在住のユダヤ人約1万2000人がリトアニアに逃げてきた。

彼らはより安全な場所を求め、迫害の危険がない地を目指そうとした。リトアニアから入国ビザをとらずに入れるのはカリブ海のオランダ領キュラソー島、あるいは南米のスリナムだ。でも、そんな遠くまでどうやって行けばいいのか。

当時の状況では、まずソ連に入ってシベリア鉄道でウラジオストクに行き、船に乗って日本の敦賀港に渡り、神戸港あるいは横浜港から船で太平洋を横断して米国のサンフランシスコまたはカナダのバンクーバーに渡るしかなかった。さらにそこからカリブ海へわたるのだ。そのためには日本の通過ビザが必要だ。

杉原がリトアニアに日本領事館を開設したのは1939年の秋だ。そのまま領事代理として家族ともども領事館に住んだ。その約半年後の1940年6月にはソ連がバルト三国を軍事占領した。ソ連はリトアニアにあるすべての外国の大使館、領事館を閉鎖するように通達した。日本領事館も閉鎖されようとした。

こうした状況で迎えた7月18日の早朝、領事館に大量のユダヤ人避難民が通過ビザを求めて押し寄せた。その多くはビザの発給に必要な正式な書類を持っていなかった。

杉原は東京の外務省に対応を打診した。外務省は「発給要件を満たさない者へのビザは発給してはならない」という当然の回答をよこした。しかし、ユダヤ人の窮状を肌で知った杉原は

「クビになってもかまわない。人道上、拒否できない」と決断し、書類を持たない人を含め、訪れたすべてのユダヤ人にビザを発給する決心をした。

7月から8月にかけて杉原は1日に18時間働き、2193通の手書きのビザを発給した。領事館が閉鎖されたあともホテルで渡航許可証を書いた。リトアニアを出国するために乗りこんだ汽車でも書いた。最後は車窓から身を乗り出してビザを渡した。通過ビザは一つの家族に1通でよかったので、杉原のおかげで助かった人の数は約6000人と言われる。

当時の決断について、後に杉原は自身の手記でこう述懐している。「私でなく他の誰かであったとすれば、百人が百人……ビザ拒否の道を選んだだろう。それは何よりも、文官服務規程および何条かの違反に対する昇進停止、ないし馘首（クビ）が恐ろしいからである。私も何をかくそう、回訓を受けた日、一晩中考えた」。回訓とは、東京・外務省からの発給禁止の回答の訓令のことだ。

そしてこう結論した。「浅慮、無責任、がむしゃらの職業軍人グループの対ナチス協調に迎合することによって、全世界に陰然たる勢力を擁するユダヤ民族から永遠の恨みをかってまで、旅行書類の不備、公安配慮云々を盾にビザを拒否してもかまわないのか、それがはたして国益にかなうことだというのか。苦慮、煩悶の挙句、私はついに人道・博愛精神第一という結論を得た」。

■ロシア正教の信者として

記念館の展示を見ているうちに、「オヤ?」と思った。杉原は若い時代に旧満州国のハルビン日本領事館に勤務している。そのときにロシア女性と結婚し、ロシア正教に改宗したと書いてある。杉原はキリスト教徒、それもロシア正教の信者だったのだ。

今でこそ杉原がロシア正教徒だったというのはインターネットのウィキペディアにも載っているが、私がそこを訪れた2017年の段階では一般には知られていなかった。

記念館の川向こうに第9要塞(ようさい)博物館がある。19世紀にロシア帝国が造った無骨なコンクリートの建築物で、帝政時代のロシアが国境の西の備えとして第9番目に建てた要塞だ。第2次大戦でドイツ軍はここをユダヤ人の強制収容所として使った。カウナスにいたユダヤ人約5万人がここで虐殺されたという。陰惨な歴史を秘めただけに、暗い雰囲気が漂う。

リトアニアは「北のエルサレム」と呼ばれたほどユダヤ人が多かった。カウナスにユダヤ人の集住地区ゲットーがつくられ、ユダヤ人たちは各地から荷車に家財道具を積んでやってきた。ナチスがリトアニアを占領すると、リトアニアのユダヤ人の96%がナチスに殺された。生き残ったのは1万人だけだという。

要塞の中は監獄のような造りだ。コンクリートむき出しの壁が心を寒々とさせる。ここで殺害されたユダヤ人の写真が壁を埋める。中学生ぐらいの姉妹が寄り添って微笑む。おもちゃ箱を大切そうにかかえた男の子。兄弟だろうか、並んで立つ二人の男の子の服の胸にはユダヤ人を示す「ダビデの星」がつけてあった。このマークを縫いつけた腕章も展示してある。

ユダヤ人だって黙って殺されてばかりはいない。収容されたユダヤ人64人が脱走した。工具を使って人一人がなんとか通り抜けられる穴を壁に開けて外に出たのだ。大半はうまく逃れたが、一部は捕まって銃殺されたという。

ユダヤ人の命を救うために命をかけた勇気ある人々の写真も展示してある。そこに杉原の写真もあった。公園のベンチに一人で座り、あごを左手で支えながら考え事をしている姿だ。この写真は記念館にもあり「彼らは人間で、助けが必要だった。喜ばしいことは、自分の中にその助けを与える決定をする力を見出したことである」と書いてあった。

同じ写真がこの要塞にあり、リトアニア語と英語で彼の言葉が書いてある。「私は政府に従わなかったかもしれない。もし、そうしなかったら、私は神に従わないことになるだろう」。私は「あ！」と驚いた。これを素直に読むと、人々を救うという杉原の決意は、信じる神の教えに沿ったものだということになる。そして彼が若い時に入信したのはロシア正教だ。神とはイエス・キリストのことである。

杉原の決意は、彼独自の信念に基づく決断だけでなく、信仰に裏打ちされたものだった。杉原はその後、ロシア女性と離婚して日本の女性と再婚し二人の子どもを設けている。その後にわかったことだが、杉原は亡くなる直前、自分の葬儀もロシア正教会の形式を希望したという。離婚後もロシア正教を信じ続けたのだ。

外交官である彼が戦前の管理統制の厳しい時代に、個人の決意だけで国家の命令に反するのはきわめて困難だ。そこに宗教や神の後押しがあれば、決意は天命としてとらえられ、むしろ積極的に進めようという意識に変化したのだろう。

こうしたことから「ロシア正教に改宗した」という記述が気になった。日本に帰って杉原の伝記を何冊も読んでみたが、そのころまでに日本語で書かれた伝記にはロシア人との結婚やロシア正教に関する部分がほとんど書かれていなかった。ロシア女性との結婚を意図的に隠そうとしたのだろうか。戦後のソ連との関係を考えると、ロシア正教と杉原のつながりを書かない方がいいと判断したのかもしれない。

アメリカ人のユダヤ研究所の所長であるヒレル・レビン氏が書いた大部の伝記『千畝』（清水書院、2015年）によって、初めてこのロシア女性の詳しい姿を知ることができた。名はクラウディア・アポロノフさん。杉原が24歳のときに結婚した。彼女はまだ16歳だった。レビン氏はなんと彼女を探しだし、オーストラリアの老人ホームにいた93歳の彼女に会っている。そこで杉原とクラウディアさんが心から愛し合っていたこと、杉原の方からロシア正教への改宗を言い出したことがわかった。

二人が離婚したのは結婚から11年後で、杉原が日本人の妻、幸子さんと結婚する4ヵ月前だ。離婚はクラウディアさんの方から言い出したことだった。険悪な関係になったのではない。老人ホームのクラウディアさんは、杉原が離婚から46年後の1981年に彼女に贈った和服を保存していた。杉原は再婚後も、初婚のロシア女性を忘れてはいなかったのだ。

■日曜日は書かなかった

帰国後に杉原について調べていたところ、杉原を研究しているロシアのホロコースト研究教育センター共同議長で歴史家のイリヤ・アルトマン博士が2017年12月に来日した。この件を確かめようと彼に会った。博士が杉原の研究をするようになったきっかけは、エリツィン大統領がロシア初のホロコースト記念館をつくろうとしたとき、展示会で「極秘」とスタンプが押されたロシア外務省の文書を見たことだという。それはポーランド出身のユダヤ難民にソ連の通過ビザを与えるという内容だった。杉原が発行したビザを手にしたユダヤ人がソ連領に入ったあとの扱いを明記したものだ。

アルトマン博士は、ソ連が通過ビザを発給した最も大きな理由は「経済的なもの」と断定した。人道的な理由ではなくビザの発給代が欲しかったからだという。ビザ代としてユダヤ難民一人当たり200~300ドルを徴収すると、計約50万ドルもの収入になった。大きな外貨稼ぎになったのだ。

当時、スターリンはモスクワの副外務委員（外務次官）だったデカノーゾフをリトアニアに送って調査させた。彼がユダヤ難民に通過ビザを出すよう求める暗号電報を送った4日後、ソ連共産党政治局はユダヤ人に通過ビザを与える決定を下し、スターリンが署名した。外貨稼ぎが目的だったにしろ、この文書があって初めてユダヤ人たちはソ連に入ることができた。その数は約6000人と言われるが「約1万人という推計もあります」とアルトマン博士は話した。

博士は「ユダヤ人を救った杉原の行動は、ロシアでは『サムライが成し遂げた偉業』と評価されている。彼はユダヤ人だけでなくポーランドの将校にもビザを発給した。なぜ彼が敢えてビザを発給したかは、彼の人格を考えなくてはならない。ユダヤ人の悲劇を目の当たりにして共感しなかったら、ビザは出さなかっただろう。二つの体制のはざまで苦しむ人を助けようと思ったからだ」と杉原を称賛する。

ロシア正教と杉原の関係を問うと、博士は「杉原の最初の妻はロシア正教徒で、杉原もそのときにロシア正教徒になった。寸暇(すんか)を惜しんでビザを書いた杉原だが、日曜日には1通も書かなかった。人道的な理由だけだったら、日曜日も書いただろう」と話した。厳格なキリスト教の信者だったから、安息日は仕事をしないという宗教の教えにしたがった、というのだ。杉原の行動の根元にはキリスト教の信仰が強かったとみている。

もちろんキリスト教徒のだれもが人道的な行動をとるわけではない（トランプ米大統領だってキリスト教徒だし……）。杉原の決意を宗教上の信念が支えたとしても、最後の決意は杉原個人が下したものである。彼の行為はおおいに、そして歴史が遠ざかろうとする今、あらためて称えられるべきだと思う。

カウナスの鉄道駅に行くと、駅舎の正面の壁に杉原を称える顕彰碑がある。右側を向いた彼の顔のレリーフの下に、リトアニア語と日本語と英語で「杉原千畝は１９４０年９月４日にカウナス駅を出発する直前まで『命のビザ』を発給し続けた」と刻んである。

2　ロシアとドイツのはざまで

■ソ連による占領

杉原千畝がユダヤ人のためにビザを書いていた１９４０年７月、バルト三国では急速にソ連化が進んでいた。

その直前の6月、バルト三国はすべてソ連に軍事占領された。形としてはソ連が三国にソ連の軍隊を受け入れるように要請し、三国は「自らの意思」で受け入れたことになっている。事実は、泣く泣くそうせざるを得なかったのだ。同じ要求を拒否したフィンランドにソ連は戦争を仕掛け、フィンランドの東南のカレリア地域を割譲（かつじょう）させた直後だ。同じ時期にドイツ軍がパリに入城したため、西欧諸国はバルト三国に関わっている余裕はなかった。

1940年6月17日のラトビアの首都リガの街角の写真がある。「占領、反対」と書いた横断幕を掲げて市民がデモをしている。トロリーバスの窓から乗客が外に向かって紙を広げている。紙には「ソ連よ、去れ。帝国主義、反対！」「我々はラトビアの独立を求める」と書かれている。バリケードを通りにつくろうとして警官に逮捕される若者たち、護送車の窓からVサインを突きだす若者の写真もある。

この時期にソ連からリトアニアに派遣されたのが、前述の副外務委員のデカノーゾフだった。彼の指揮でソ連の言うなりになる政府がバルト三国につくられた。これまでの大統領や閣僚はソ連国内に強制連行された。

リトアニアでは共産党以外の政党が禁止された。反対派とみられる人々を大量に逮捕し、ほぼ共産党員だけを候補者として選挙を実施した。こうして生まれた議会がソビエト共和国を宣言し、ソ連への加盟を求めた。ソ連はそれを承認した。

形としてはリトアニア国民の求めでソ連に自発的に加盟したことになったが、実情はソ連が力ずくで組み入れたのだ。他の二国も同じ運命になった。この間、ソ連によって逮捕されシベリア送りとなったのは三国合わせて約5万人にのぼる。知識人や文化人の多くが犠牲となった。その後、企業の国有化など経済、社会のソ連化が急速に進んだ。

ナチス・ドイツ軍がバルト三国に侵攻したのは、三国がソ連に加盟した1週間後だ。ソ連から散々な目に遭ったバルトの人々は、これで独立が戻ると考え、ドイツ軍を歓迎した。ところがドイツはバルト三国をドイツに組み込むことにした。そしてバルトの人々を強制的にナチスの兵士とし、ソ連軍と戦う最前線に投入した。独立を求める人は逮捕され、ドイツに強制連行された。

1944年になると再び戦況は逆転し、ソ連軍がバルト地域に侵攻した。ソ連軍はバルトの人々をソ連軍に編入してドイツと戦わせた。あまりに過酷な運命ではないか。このようにバルト三国の人々は両側の大国に翻弄(ほんろう)された。その結果、三国の人口の5分の1が失われた。

第2次大戦が終わると、バルト一帯はソ連の一地域として固定した。エストニアとラトビアの国土の東部分はロシアに割譲された。ただでさえ小さい国がますます小さくなった。人口が減った分、ロシアから大量にロシア人が移民してきた。

現在の中国がチベットや新疆(しんきょう)ウイグル自治区で行っている政策を、このころのソ連がバルト三国に対して行ったのだ。

■KGBの暗躍

これだけ痛めつけられると、人々がソ連に反抗するのは当然だろう。その動きを徹底的に弾圧したのが、ソ連の治安機関である国家保安委員会（KGB）だ。悪名高いこの諜報機関がどんな活動をしていたのか。それはエストニアの「KGB博物館」を訪れるとわかる。

首都タリンの中心部の大きなショッピング・モールの中に、ソコス・ホテル・ヴィルというホテルがある。23階建ての高層で、ソ連時代には全ソ連でも5本の指に入る高級ホテルだった。キャバレーがソ連で初めてオープンしたのも、このホテルである。その最上階はKGBの隠れ部屋だったが、今は博物館として公開されている。

エレベーターは22階までで、あとは歩いて最上階の23階にのぼる。途中の階段の壁にはホテルの歴史を示す写真が貼ってある。火事になった写真もあるが、ソ連時代には展示を許されなかった。素晴らしい国なので事故などあるはずがないから、という理由だ。笑ってしまうではないか。

最上階の秘密の部屋でガイドが言う。ソ連時代に技術者がたまたまこの部屋のドアを開けたら突然、頭に銃を突き付けられた。技術者の目にはKGBの要員とみられる二人の男が頭にへッドフォンをつけて聴いているのが見えた。ホテルの宿泊客を盗聴していたのだ。

当時は客室のうち６０ほどの部屋に盗聴器が仕掛けられた。家具や電気器具の中に小型の盗聴器を隠しこんだ。パンの小皿の底を二重にして盗聴器を仕掛けた。外国人はソ連の国営旅行社インツーリストを通じて旅行の予約をしなければならず、タリンでは必ずこのホテルに泊まらされた。政治家やジャーナリストがあてがわれるのは盗聴器が仕掛けられた部屋だ。隣の部屋にＫＧＢの要員が入り、隠しカメラで壁越しに撮影した。

２３階にある盗聴部屋の中は、壁沿いに盗聴の器械がずらりと並んでいる。一見すると放送局のようだ。机の上には大型のテープレコーダーもある。壊れた電話器をのぞくと、中に盗聴器がある。ガスマスクや当時の制服、盗聴のための小型の器具もある。すべて本物だ。エストニアがソ連から独立した際、ＫＧＢが突然に撤退することになり、持って逃げる余裕がなかった。床にはタイプライターで打った書類が散乱していた。

展示品の中に、がまぐち型の赤い財布があった。中に着色料が仕込んである。従業員がこれを拾って口を開けると着色料が噴出し、服に特殊な色が着く。従業員はネコババしようとしたという理由でクビになるか、ＫＧＢの手下になるか、どちらかの選択を迫られた。

３階にあったホテルのマネジャーの部屋を再現した部屋がある。広い机の上には電話器が二つとタイプライターなどが置いてある。赤い電話器はタリンの旧市街にあったＫＧＢ本部との直通電話だ。もう一つの電話は一見、普通のものだが、手に持ってみるとずっしりと重い。中に盗聴器を仕込めないように鉛で固めてある。仲間も信頼できなかったのだ。

旧市街のビルの地下にはKGBの強制収容所の跡がある。政府に反対する市民を逮捕、監禁して暴行、拷問した。

エストニアだけではない。ラトビアの首都リガには「KGBビル」と呼ばれる6階建ての建物がある。中には44の監房があり最大175人の囚人（しゅうじん）が押し込められた。独房もあるが、9人分のベッドしかない部屋に20人が入れられたこともあった。あふれた囚人はシーツも枕も毛布もないまま、コンクリートの床に寝たという。

リトアニアのKGB博物館は生々しい。懲罰室は、片足が乗るだけの台があるほかは、床一面に冷たい水を張るようにしてある。ここに入れられたら、眠るどころか椅子に座ることさえできない。囚人に着せて身体を締め付けた拘束衣（こうそくい）など、拷問に使われたおどろおどろしい品々が展示してある。トイレは1日1回で5分だけ、それも40人が一度に使う。地下室は銃殺に使われ、ここで1000人以上が処刑された。

KGB博物館の前の広場には、かつてソ連を権威づけようと、レーニンの像が立っていた。ソ連からの独立を回復する直前に、像は市民の手で倒された。

■ソ連への反抗

これだけの圧政にもかかわらず、バルト三国の人々はソ連に抵抗し、市民運動によって独立を勝ち取った。ゴルバチョフがソ連共産党の書記長に就任しグラスノスチ（情報公開）とペレストロイカ（改革）を開始した1985年の変化をうまくとらえたのだ。

最初は環境問題から取り組んだ。1986年にチェルノブイリで起きた原発事故は、ソ連全体に開発の見直しを迫る市民意識を呼び起こした。ラトビアではその約半年後、ソ連政府が建設しようとした大型の水力発電所に対して、週刊紙「文学と芸術」に市民二人が反対する文を投稿した。約700通の投書が舞い込み、市民が反対運動を起こして3万人の署名を集め、翌1987年には建設中止に追い込んだ。すでに予算が降りた大規模計画が市民の反対で中止になったのは、ソ連の歴史上これが初めてである。

エストニアでもリン鉱石の露天掘り採掘プロジェクトへの反対運動が起きた。リトアニアでは首都ビリニュスからわずか80キロのイグナリアにチェルノブイリと同型の原子力発電所があったが、その3号機をつくろうという計画に市民が猛反発した。この動きは三国が連携してバルト海を汚染から守る運動に発展した。

1988年9月には対岸のスカンディナビア半島とも連携し、バルト海沿岸を「人間の鎖」

でつないだ。その写真をラトビアで見た。波打ち際の砂浜に数百人が手をつないでいる。写っているのはすべて女性で、よそいきの服を着ている。横向きに手に手を取り合って砂浜をこちらの方に歩いてくる姿だ。みんな表情が硬い。写真説明には「すべてが失われたように思えたとき、人は友の手を握る。共感する心を求め、海の力を吸い取るように顔を海に向け。1988年9月3日、バルト海の向かいあう岸辺で、私たちはラトビアでバルト海に祈る人々の群れに加わった」と書いてある。これが翌年、大規模な「人間の鎖」に発展したのだ。

環境運動は政治運動と連携した。ラトビアでは労働者や人権活動家が市民団体「ヘルシンキ86」を組織し「カレンダー・デモ」を始めた。歴史上の重要な日付の日に、抗議行動を起こしたのだ。1987年6月14日には、1941年のこの日にシベリアに強制連行された犠牲者をしのぶ追悼集会を開いた。8月23日には、1939年のこの日にドイツとソ連が密約を結んでバルト三国を無理やりソ連に組み入れた独ソ不可侵条約を思い起こす集会をした。1918年にラトビアが帝政ロシアから独立を宣言した11月18日にもデモをした。

1988年、エストニアのテレビの生放送で哲学者のサヴィサールが「ゴルバチョフの改革を支援する組織をつくろう」と提案した。これがきっかけでバルト三国に様々な市民運動を束ねる人民戦線の組織が生まれた。リトアニアではサユーディス（運動）と呼ばれた。三国の人民戦線が協力して1989年8月23日の独ソ不可侵条約締結50年の日に実現したのが「人間の鎖」だ。三国の市民計約200万人が、三国の首都を結ぶ600キロ以上を手でつないだ。当時の三国の人口は約800万だ。国民の4人に1人が参加したことになる。

■人間の鎖をたどる

南のリトアニアの首都ビリニュスからラトビアの首都リガを経て北のエストニアの首都タリンまで、車で「人間の鎖」の跡をたどってみよう。

ビリニュスの中心部の旧市街に、ギリシャのパルテノン神殿のような白亜の宮殿風の建物が立つ。大聖堂だ。正面の壁には頭に角をはやしたモーゼの像が立つ。大聖堂の前は広大な石畳の広場だ。白亜の鐘楼（しょうろう）のすぐ近く、正方形の茶色い敷石に「STEBUKLAS」の文字が書いてある。「奇蹟」の意味だ。この上で時計回りに3回まわると願いがかなうという伝説が生まれた。

すぐ近くの敷石には裸足の両足の足形がついている。「人間の鎖」の南の起点を示す記念碑だ。足裏のしわまで丁寧に彫られている。裸足になって私の足をそばに置いてみたが、私より二回り大きく30センチくらいだ。

広場に面して3階建ての建物があり、1階がケンタッキー・フライドチキンの店になっている。その2階が当時、「人間の鎖」の本部だった。実際に手をつないだ起点は、広場から見上

リトアニアの「人間の鎖」の起点を示す足型

げる丘の上に立つゲディミナス塔の頂上だ。ビリニュスのシンボルである赤レンガ造りの8角形の塔で、頂上には黄、緑、赤の三色を横に並べた国旗が翻る。ここから「人間の鎖」が始まり、手をつないだ人の列は丘を下り広場を抜けて、裁判所や政府機関があるメインストリートを通り、菩提樹の並木を通って西に向かった。

　ビリニュス大学アジア研究センターで日本語を学び早稲田大学に留学したシモーナさんは、当時5歳だった。お母さんが「行こう」と言いだし、父母と2歳の弟と家族4人でいっしょに参加した。指定された郊外の場所までバスで行き、見知らぬ男の子と手をつないだ。上空からは飛行機が花をまいた。あらかじめ人々が飛行場に花を大量に持って行ったのだ。

　手をつないだまま歌を歌った。「ブンダ　ヤウ　バルティヤ（バルト三国は目覚めた）」という歌だ。「人間の鎖」のために作られた歌で、三ヵ国語の歌詞がついている。「リトアニア、ラトビア、エストニアの三国は姉妹だ。バルトに位置するバルト三国はソ連に占領されたが今、目覚めた」という歌詞である。

シモーナさんは高らかに声を張り上げて朗々と歌った。「この歌を歌うと、今でもワクワクします」と語る。「何が起きているのか分からなかったけど、とても大事なことだということだけは分かった。これが私の人生の最初の記憶です。誇りに思っています」。

「人間の鎖」が完成したのはこの日の午後7時から7時15分までの15分間だ。成功したという知らせが伝わると、人々はつないだ手を上に挙げて歓声を上げた。

■ラトビアの人民戦線博物館

ビリニュスの街を20分も走れば郊外に出る。牛がのんびり草をはむ、緑豊かな牧草地が広がる。両側に白樺の林が続く。やがてリンゴの林に替わり、しばらくすると両側は見渡す限り大平原となった。牧草地や畑がどこまでも広がる。

国境を越えてラトビアに入ると、畑がきれいに整っているのが目につく。きれい好き、整頓（せいとん）好きな国民性なのだろう。広大な割には無駄な土地がない。まるで北海道を走っているような気分だ。両側に小麦やトウモロコシの畑が続く。

首都リガの中心部には、広い道路の中央に自由記念碑の尖塔が建つ。ラトビアの独立を記念したもので、高さは51メートル。塔の上には自由の女神がラトビアを構成する三つの地域を示す三つの星を頭上に掲げる。土台には「祖国と自由に」という文字が刻まれている。

旧市街の南の端にある人民戦線博物館を訪れた。人民戦線の本部だった4階建てのビルが、今は博物館になっている。入ると目の前にレーニンの胸像があった。ゴミ箱に捨てられていたものを拾ってきたという。

1階には手作りのプラカードが並んでいる。「ラトビア人民戦線」「人々よ、統一し警戒しよう」「魔物よ、自由を願わないラトビア人を地獄に連れて行け」「ラトビアに主権を」などとラトビア語で書いてある。市民がデモをしたときに使った実物だ。

博物館のガイドが当時の様子を語った。「首都に地下鉄をつくる計画が持ち上がったとき、市民は反対した。便利になることよりも、それによってロシア人がロシアから大量に移住してくることを嫌った。ラトビアのロシア化に拍車をかけることになるからです」。

ソ連時代は市民が突然、シベリア送りになるのが日常だった。大学教授などインテリが最初の標的で、都市の富裕層や富裕な農民は誰であれ逮捕されてシベリアに送られた。ラトビアの国旗を持っているだけで反ソ的だとみなされた。そのままシベリアで亡くなった人たちは数知れない。

「ゴルバチョフが改革を始めると、自分の意見を表明できるようになった。その意見が当局と一致していなくてもよくなった。様々な市民団体ができて市民の権利を守るために活動を始めた」と語る。

ラトビア作家大会が１９８８年、環境問題に対応するため全国組織をつくろうというアイデアを出した。１０月に人民戦線が誕生した。人民戦線の名で当局への要望書や改革の計画を出した。やがて国民の３分の１が人民戦線に加入した。

階段を上った部屋には、床にバルト三国の地図が描かれ、「人間の鎖」の道筋が記してある。その上に実際に手をつないだ数人の写真が等身大の姿で並んでいる。その間に入って、写真の人物と手をつないでみた。「人間の鎖」に参加したような気分になる（表紙裏の写真）。

「高速道路に沿って人が並びました。町の部分は人が多いけれど郊外は少ない。ミニバスを使って、人が余っているところから足りない場所に運びました。自家用車で人を運ぶ手伝いをする人もいました。集まる人にはあらかじめベルト２本を持ってくるように頼んだのです。人が少ないところは隣り合った人がベルトの端をつかむようにするためです。首都の街中は大勢の人が出たため団子のようになりました」

「当局に知られずに人々を動員するため、秘密裏に行う必要がありました。無線の周波数を変えながら状況を知らせ、どの地区に人が足らないかを伝えました」。生々しい証言が続く。

このときのことを記憶するために今も毎年、この日に記念行事をしている。手をつないだ道に沿って、たき火をする。ところどころに人が立ってケーキを贈り合う。

最上階の部屋は、人民戦線の機関紙「ATMODA（覚醒）」の編集室だった。当時の新聞の実物が置いてある。1989年5月6日号はタブロイド判で8ページあり、どのページにも細かい字がびっしりと詰まっている。ヒトラーとスターリンが結婚した風刺画や、ソ連の軍人たちが見張る中で「ラトビア人民戦線」と書いた大きな横断幕を先頭にデモする人々の写真が載っている。1990年1月9日号は16ページと倍になっており、前年11月のベルリンの壁の崩壊を写真入りで紹介した。

部屋の壁に電光掲示板があり、「9991」という数字が緑色に光る。「独立の回復から、今日が9991日目だということです」。ガイドは厳粛な面持ちで話した。

■翻る三色旗

バルト海を左に見ながら、リガ湾に沿ってひたすら北上した。幅広く真っ直ぐな片側3車線の舗装路が延びる。2時間足らずでエストニアとの国境に到着した。頭上には「ここまでラトビア」を示す鉄の横木が、鳥居のように渡してある。100メートルほど向こう側の横木は「ここからエストニア」を示す。エストニアに入ると道路をふさぐ横木があるが、運転手が係員に一言言うと横木が上がって国境を通過した。あっけないほど簡単だ。

道の両側には白樺の林が続く。やがて牧草地に替わり、車線はしだいに減って片側1車線となった。出発から5時間後、エストニアの首都タリンに着いた。リトアニアの首都ビリニュスからエストニアの首都タリンまで、車のメーターを見ると630キロ走った。そのまま中心部のトームペアの丘の上にある国会議事堂を目指す。

アレクサンドル・ネフスキーと言えば、エイゼンシュテイン監督の映画で名高い大公だ。ロシアでは英雄視されている。その名をつけたロシア正教の聖堂が目の前にそびえる。入ってすぐの壁には日露戦争の日本海海戦で壊滅したロシアのバルチック艦隊の記念碑がある。教会の屋根のドームの上には横棒が三つあるロシア正教特有の八端十字架が金色に光る。

石畳の道を隔てた正面、白壁に赤い屋根の3階建てが国会議事堂だ。議事堂の建物はまるで宮殿のようだ。トームペア城と呼ばれる。その南側に城の塔がそびえる。高さが約50メートルもあり、「のっぽのヘルマン」というあだ名がある。エストニアの象徴とされ、1500年に建てられたエストニアで最も古い塔だ。塔の上には、この地を支配する者の旗が翻るしきたりだ。「人間の鎖」の北の起点がこの塔だった。

今、そのてっぺんには青、黒、白の3本の横線が入ったエストニアの国旗がはためく。青い空、黒い大地、真っ白な心を意味する。1918年の帝政ロシアからの独立のさいに国旗となった。ソ連の傘下にあった時代にはエストニア・ソビエト社会主義共和国の赤い国旗がここになびいていた。旧ソ連の赤い旗の真ん中を青い波が横切るデザインだ。

１９８９年2月２４日、ここに大勢の市民が集まって赤旗を降ろし、エストニア民族の国旗である青黒白の三色旗を掲揚した。少し前なら、そのようなことをすれば全員逮捕されてシベリア送りになるところだ。独立に向けた人々の決意の盛り上がりを示す出来事である。ここから真の独立に向けて大きなうねりが起きた。

■エストニアにも足形

ガイドの女性シシさんは当時を思い出して、「手をつなぐために集まろうという呼びかけをラジオで聴きました。ロシア語でなくエストニア語の放送です。秘かに準備していたから、そんなにたくさんの人数が集まるとは思っていませんでした。当局が気づいたらできなくなるので、時間を決めてさっと集まり、１５分で終えました。ソ連の体制下では、賢く考えて行動しなければなりませんでした」と語る。別の市民も「そんなに人が集まらないと思った。だから手がつながっていなくても、つながっているという気持ちになろうとお互いに言い合いました。でも、たくさん集まった」と話す。

当時のことを聞きまわっているうちに、リトアニアの首都ビリニュスと同じような足形の記念碑が、このタリンにもあると知った。旧市街の南端のエストニア独立戦争戦勝記念碑が立つ公園にあるという。現地の観光地図に、足跡の記述はない。さんざん探し回って、ようやく見つけた。

新市街のビル群を見下ろす丘の上。石畳に茶色い正方形の石がはめ込んである。裸足の両足を彫った下に、エストニア語と英語で「バルトの道」と「タリン、リガ、ビリニュス」の三つの都市の名がある。ビリニュスの記念碑でやったように、靴を脱いで足形の側に私の足を添えてみると、二回りくらい大きい。ビリニュスと同じ大きさだ。

そばに金属の説明板があった。人々が手をつないだ写真とともに、エストニア、ラトビア、リトアニア語と英語、ロシア語の計五つの言葉で説明が書いてある。

「1989年8月23日、人民戦線が構築されようとしたとき、三国の首都を結び600キロ以上に及ぶ『バルトの道』が形成された。200万人を超す人々が『バルトの道』を手でつないだ。彼らは自由と、1939年8月23日の不法な密約の議定書の無効を求めた。『バルトの道』の平穏かつ厳粛（げんしゅく）で壮大な規模に、全世界は驚いた。それは現在までこの三国が団結して行った最大の示威行動である」と記してある。

記念碑の由来も書いてあった。2013年にビリニュス市当局が記念に贈ってきたという。だからリトアニアと同じなのだ。

独立戦争戦勝記念碑とは、帝政ロシアの支配下にあったエストニアがロシア革命の直後に独立を宣言したあと、侵攻したソ連の赤軍とドイツ軍に対して戦って勝利したのを記念する碑である。ソ連とドイツに勝った記念碑が立つ場所に、ソ連とドイツの密約に抗議して自由を求めた「人間の鎖」の記念碑が置かれた。実にふさわしい場所の選択だ。

タリンの郵便局をのぞくと、「バルトの道」の25周年を記念して2014年にエストニアで発行された記念切手があった（本書129ページの写真）。1ユーロの切手が横長に3枚つづりになっている。当時の写真をそのまま図柄にしたもので、大人も子どもも幼児も含め計13人が道沿いに手をつなぐ。後ろには車が何台も停めてある。背筋を伸ばして両手を大きく広げ誇らしげだが、笑顔は一人もいない。厳しい顔付きである。

無理もない。警察が今にも弾圧にやってくるかもしれないという恐怖を押して行動したのだ。バルト三国が真にソ連からの独立を達成するまでに、このあと2年かかった。手をつないだ人々はけっして前途を楽観してはいなかった。

3　歌う革命

■30万人の歌声

タリンの郊外に、「歌の原」と呼ばれる巨大な野外音楽場がある。バルトの革命で「人間の鎖」と並んで世界の注目を集めた「歌う革命」の舞台だ。

首都の中心部から東に約3キロ。大通りから少し入った場所に、広大な芝生のスロープが広がる。スキー場に緑の絨毯を敷き詰めたような光景だ。なだらかな斜面を下ったところ、数百メートル向こうに真っ白な三日月型のアーチがそびえる。曲線を描いた屋根の下に、コンクリートの階段状になった舞台が観客の方に向けて扇形にせり出す。舞台は予想をはるかに超える大きさだ。一度に3万人が上に立つことができるという。

手前の芝生はスロープを利用した観客席だ。ここには30万人が収容できる。中央に立ってみると、途方もない広さを実感する。30万という数字はけっして誇張ではない。実際に30

万人もの人々が集まったのだ。
「人間の鎖」がつくられる前の年の1988年9月11日、エストニアの人民戦線がここで政治集会を開いた。強権支配の下では政治集会と名のれなかったので「歌の祭典」の形にした。当日は民族衣装を着た合唱団が全国から集まり、それぞれの地方に伝わる伝統的な歌を次々に歌った。盛り上がった時に、だれからともなく口をついた歌がある。「我が祖国は我が愛」という歌だ。

我が祖国は　我が愛
汝(なんじ)に捧げし　我が心
汝に歌わん　我が幸(さち)
咲き匂う花のごとく麗(うるわ)しき地よ　エストニア
汝に歌わん　我が幸せ
咲き匂う花のごとく麗しき地よ　エストニア
汝の痛みは　我が心を苦しめ
汝の喜びは　我を酔わせる
母なる国よ　我が父祖(ふそ)の地よ

「歌の原」に響いた、30万人の合唱
（1988年9月）の光景

我が祖国は　我が愛
父祖の地を　捨てなるものか
汝のために　百度この命を捨てるとも
汝をねたむ者が　けなそうとも
汝は　我が心に在り
母なる国よ　我が父祖の地よ

母なる祖国の大地への賛美が続く長い歌である。作詞したのは19世紀のエストニアの女性詩人、リーディア・コイトラ。エストニアでユーロが通貨となる前までは、彼女の肖像を描いた100クローン札が使われていた。作曲したのは「エストニアの音楽の父」と呼ばれるグスタフ・エルネサクスだ。彼の銅像が広場を見渡す場所に置かれている。

30万人が歌うと、当局は止めることができなかった。警察もいたが、暴力を使っているわけではないので取り締まれなかったし、彼らの方が少数派だったからだ。人々は歌いながら、禁じられていたエストニアの旗をバッグから取り出して振った。持っているだけで逮捕された旗だ。自宅の床下などに隠していた旗が、30万人によってなびいた。

エストニアにとって30万人という数は私たちが想像する以上に大きな意味を持つ。当時のエストニアの人口の4人に1人が集まった数だ。ロシア系などを除いた純粋なエストニア人に限れば、3人に1人である。赤ん坊を含めて、だ。いかに人民戦線が国民から支持されていたか、この数字からわかる。

その伏線は4ヵ月前の5月に歌の祭典の発祥地タルトで開かれたポップ音楽祭だった。民族の愛国心を表現する五つの曲が初めて演奏された。6月にはタリンの旧市街祭に集まった人々が市内にあるタリン音楽堂に移動し、エストニアに伝わる歌を歌った。こうした流れが9月の30万人集会に結実したのだ。

これをきっかけにエストニアは、独立に向けて自信を持った動きを始めた。30万人の集会から2ヵ月後の11月、エストニア議会は主権宣言を発布した。その3年後にはエストニアも他の二つの国も、念願の独立を果たした。歌をもって独立運動としたこの動きは、「歌う革命」または「歌いながらの革命」と呼ばれる。非暴力で平和な「人間の鎖」と「歌の革命」が、武力の抑圧をはねのけたのだ。

■歌の伝統

「我が祖国は我が愛」の作詞者リーティア・コイトラの情熱は父親譲りだ。今も続くエストニア語の新聞を1857年に創刊し「エストニアの新聞の父」さらには「エストニア民族の父」と呼ばれるヨハン・ヴォルデマン・ヤンセンの子だ。ヤンセンは後にエストニア国歌を作詞した人でもある。フィンランド人のパシウスが作曲したメロディーに「我が祖国、我が喜びと幸せ」という歌詞をつけた。これが国歌として採用された。ちなみに、この曲はフィンランドでも愛され、フィン語の歌詞が付けられてフィンランドの国歌ともなっている。エストニアとフィンランドは民族、言語ともに親せき関係にあるが、国歌のメロディーまで同じなのだ。

コイトラが活躍した1860年代は、エストニア人が民族として最初に意識した第一の覚醒(かくせい)期だった。当時は帝政ロシアの領土ではあったが、現実に地域を支配していたのはドイツ人の地主貴族だ。プロテスタントのルター派の牧師が中心になって農民たちに文字を教える識字教育をした。教会の合唱のために音楽教育もした。ドイツではすでに教会での合唱が盛んに行われていたのが、バルト地域にも広まったのだ。

ロシアへの対抗意識もあって、ドイツ貴族がそれを奨励した。このため急速に各地の教会で歌が歌われるようになり、讃美歌だけでなく曲目に民謡を採りいれて歌った。伝統的な民謡、歌謡の収集運動が広がって民族意識が高まった。それが刺激となって各地に誕生した民族的な合唱団を組織し、全国的な合唱祭に育てたのがヤンセンだ。

１８６９年に全国的な民族歌謡祭が初めて行われた。場所はエストニア第2の都市タルトである。３日間にわたり５１の合唱団の８４５人が歌い、１万５０００人の観客が聴いた。最初の祭典を祝って、エストニアの合唱音楽の先駆者である作曲家のエレクサンデル・クニレイトがコイトラの詩に曲をつけ、合唱祭に参加したみんなで歌った。最初の音楽祭は男声合唱だけだった。まだまだ男女差別の時代だった。

歌の祭典は以後、定期的に行われるようになった。１８９６年には４１０の合唱団で５６８１人が歌い、１９１０年には５２７の合唱団で1万１００人と、出演者は1万人を超えた。エストニアが帝政ロシアから独立した5年後の１９２３年からは、5年ごとに開催された。１９２８年以降に会場となったのが、首都タリンの「歌の広場」だ。

5年ごとの開催と言えばオリンピックに似ている。ガイドのシシさんは「歌の祭典は民族のオリンピックです」と語った。国を挙げての行事だ。それだけに大がかりである。当日は各地の民族衣装を着た歌い手たちが合唱団の名前と地域のプラカードを掲げ、首都の旧市街から5キロの道のりをパレードして「歌の広場」にやってくる。

観客が集まると聖火の登場だ。第1回の祭典が開かれたタルトで採火された聖火が運ばれる。舞台の右側には高さ42メートルの聖火台の塔がそびえ、2日間の祭典の間、赤々と燃え上がる。まさにオリンピックさながらだ。

舞踊祭も並行して行われる。前夜祭のあと2日間にわたる全国行事だ。この歌謡祭とは別に若者のための歌謡祭が4年に一度開かれる。歌謡祭と舞踊祭がどのようなものかはユーチューブで「ESTONIA SONG & DANCE FESTIVAL」を検索すれば、見ることができる。

歌謡祭で必ず歌われるのがコイトラ作詞の「我が祖国は我が愛」だ。前述したが、今、歌われるのは1944年に第2次大戦下のモスクワで作曲家グスタフ・エルネサクスが作曲したものだ。それは第2次大戦後の1947年に初めて「歌の祭典」で歌われた。以後はソ連当局によって禁止され、1965年に再開されたときは2万6000人が歌い、12万人が聴いたという。独立直前の1990年に行われた歌謡祭では、82歳になったエルネサクス自身が指揮し、壇上も会場も含めて集まった全員で歌った。観衆の数は30万人以上を数えた。

■歌の国ラトビア

エストニアよりも歌が盛んなのがラトビアだ。ラトビアは「歌の国」と呼ばれ、国民は「歌う民」と言われる。歌と踊りの祭典はエストニアだけでなくラトビアやリトアニアにもあるのだ。2003年には三国の歌の祭典がユネスコの無形文化遺産にそろって登録された。三国のうちではラトビアの祭典が最大規模である。

この国の民謡の数は想像を超える。首都リガの国立図書館にはラトビアの民謡だけを収蔵する階がある。農作業など労働しながら歌う歌、子守り歌、結婚の時に歌う祝い唄など。多くは短くて4行の詩である。いわば日本の和歌より少し長い短詩を歌にしたようなものだ。19世紀に収集された民謡が26万8815編ある。今、収蔵されているのは300万点の伝承と100万点の民謡である。この国の人口は194万人だから「一人に一つの民謡がある」と言われる。

ラトビアの歌の祭典が始まったのは、エストニアで祭典が開始した4年後の1873年だ。この国でもエストニアと同じ事情で、ドイツ人貴族やプロテスタントの牧師たちによって合唱の基盤がつくられた。最初はドイツ語の歌だったが、しだいにラトビア人の作曲家がラトビア語で合唱曲をつくるようになり、民族の一体感をはぐくんだ。

以後、祭典はエストニアと同じように5年に一度、行われた。建国から100年になる2018年の第26回祭典は7月7日から15日まで9日間にわたり、第16回踊りの祭典も並行して開催された。会場の野外公園は3万5000人分の座席と6万人分の立見席がつくられ、ステージは1万1000人が歌えるよう拡張された。

ソ連時代の初め、歌の祭典は禁止された。民族的な団結を促し連邦国家の統一を乱すと考え

歌い踊るガラタカ合唱団の人々

られたのだ。再開が許されたのは当局が対外宣伝に利用しようと考えたからだ。祭典の選曲では当局が検閲した。民族色のある歌は禁止され、ソ連共産党を崇拝する歌を強制的に歌わされた。

この国にはすべての学校や地域に合唱団がある。国や自治体の文化を担当する課がすべての合唱団や舞踊団に活動するため予算をつけている。国を挙げての文化活動だ。

9家族で構成している「ガラタカ」という合唱団を訪ねた。メンバーは30～40歳の大人13人、子どもは3～15歳の13人、計26人で3世代にわたる。古い時代から伝わる民謡をレパートリーに、民舞も伝える。団長で40歳の女性のイネスさんは白いブラウスに、濃い緑や赤色などの縦縞が入った緑のロングスカートの姿だ。緑色は国旗にもあり、この国を象徴する色だ。「民族の正統な伝統を継承するのが私たちの役割です」とイネスさん。

さっそく歌ったのはラトガレ州に伝わる歌だ。このラトガレという地域名からラトビアの国名が生まれた。「私は声を張り上げて歌う。森の樹のこずえが揺れるほど。野原は花がいっぱい……」という歌詞だ。

伝統的な民族楽器クアクレが登場した。チターの一種で、変則的な三角形の板に弦が何本も張ってある。膝の上に置いて右手で弦を押さえ左手を弦にこすり付けるようにして演奏した。古楽器に特有の優しく哀調を帯びた音がする。嫌いな男との結婚を親から強いられた娘の切ない心を歌う。「バラが咲いた」というもの悲しい曲だ。

バラと言えば加藤登紀子さんの歌で名高い「百万本のバラ」は、もともとラトビアの「マーラが与えた人生」という歌だった。マーラとは母なる神様で、「神は娘に命を授けたが、幸せは与えなかった」という哀しい内容である。大国に翻弄されたラトビアの苦難が暗に込められている。この曲にロシア人がまったく違う歌詞をつけ、画家が女優に恋をするというジョージア（グルジア）の画家を主人公にした有名な歌に変貌させた。その哀切なメロディーこそ、いかにもラトビアという感じがする。

クアクレはローマ時代から数千年の歴史がある楽器だ。弦の数は5本から15本とさまざまだが、木はトウヒを使う。リトアニアの民族音楽博物館でも展示されていた。その写真を見ると、左手で弦を押さえ右手ではじいている。楽器の持ち方もラトビアのように膝の上に水平に載せるのではなく、正面に向けて垂直に載せている。弾き方は演奏者や地域によってまちまちなのだ。博物館の説明パンフレットには「ソ連支配の時代には精神的な抵抗のシンボルとなり、国内の人々はもちろん海外への亡命者にもクアクレが広まり、弦の数も5本から30本以上とさまざまな形のクアクレに発展した」と書いてある。

■自然と融合して生きる

イネスさんたちは今も全国を回り、古老から民謡を採取して歌っている。西部のクルゼメ州で採取した歌は「風が吹いて湖が泡を噴き、そこから馬が出た。馬に乗ると、荒れ狂う湖のように暴れる。素晴らしい馬だ」という歌詞だ。ラトビア人は幻想的な考えを好む。日本の神道に似た土着の自然崇拝の宗教があり、自然と融和して自然を神と考えて生きてきたのがラトビア人だ。屋根の上の「X」の形をした飾りは日本の神社の屋根に似ている。夏の歌に「今夜は夏至(げし)祭りの夜。魔女が人間に変身して農場をさすらっている。避けて通ろう」というのもある。夏は1年で最も楽しく、かつ怪しい時期であり、先祖の御霊(みたま)をしのぶ。日本のお盆に似ている。

「死者の遊び」がある。一人が目隠しをして地面に横たわる。みんなは手をつないで「死者が眠ってる。その上に何を植えようか。柏の木を1本……」と歌いながら周囲を回る。歌い終わると横たわっていた「死者」が立ち上がって目隠しのまま、だれかをつかむ。日本の目隠し鬼にそっくりではないか。

先祖を敬うのも日本に似ている。男性の先祖を拝むときは柏の木で火を焚き、その前にお供え物を出す。女性の先祖なら菩提樹だ。お供え物は編み物をする毛糸や初めて収穫した穂、塩、蜂蜜やチーズなど生活に必要なものだ。炎を前に唱える言葉がある。「3の3乗のお供えを用意しています。火の粉が3の3乗出てきて、すべての不幸せが火の粉とともに消えますように」。3の3乗、つまり27という数字はラトビアの聖なる数字だ。

伝来の遊びや習慣を紹介しながら、イネスさんたちは次々に歌った。誰かが歌い終わると、聴いていたメンバーが「リーグア（よくやった）」と声をかける。最後は私たちもいっしょになって手をつなぎ、伝承遊びをやってみた。なかなか楽しい。家族だけでなく地域の人々がこうして歌や踊りでつながるのは、ほほえましい以上に人間社会の温かみを感じさせてくれる。「横のつながり」だ。こうした習慣が、そのまま「人間の鎖」につながったと思えば納得する。日本でもかつてはこのような伝承があった。大切に育てれば地域社会をつなぐ慣習となるのだ。

ラトビアの民謡には「歌いながら生まれ、歌いながら育ち、歌いながら生き抜いた」という歌詞もある。「歌の民」はソ連やナチスの迫害を、歌で乗り越えてきた。

■今こそ歌おう

それを如実に示したのがリトアニアの革命だ。

リトアニアでは「人間の鎖」を成功させた1989年、その力を背景にソ連の人民代議員大会で独ソ不可侵条約に付属していた密約があったことを暴露し、国際法上、これを無効にすべきだと主張した。ソ連人民代議員大会はこれを認め、バルト三国をソ連に編入したのは誤りであり非合法だと決議した。

翌1990年に行われたリトアニア最高会議の選挙で、リトアニアの人民戦線であるサユーディスが圧勝し、最高会議の主導権はリトアニア共産党からサユーディスに移った。リトアニア最高会議は3月、リトアニアの「主権回復」を宣言した。事実上の独立宣言である。世界がその扱いに戸惑っている中、北欧の国アイスランドが初めてこれを承認した。それがリトアニア人を勇気づけた。今でもリトアニアの人々はアイスランドに感謝している。

リトアニアの動きに触発されてエストニア、ラトビアでも独立に向けた動きが活発になった。ソ連の中央政府に対して三国が共同で交渉するためにバルト三国会議を結成した。

ところが、ソ連はまたもや武力で介入した。1991年1月、ソ連軍の落下傘部隊やKGBの特別部隊が出動して首都ビリニュスのテレビ塔を攻撃した。塔を守ろうと集まっていた非武装の市民たち１４人が殺され、数百人が負傷した。

このときリトアニアの国家元首だったランズベルギス最高会議議長は議事堂の周辺に集まった人々に対して、ソ連の挑発に乗るのではなく歌を歌おうと呼びかけた。「歌は私たちを助けてくれた。数百年にわたり助けてくれた。だから今こそ歌おうではないか、聖なる讃美歌を。挑発したり、罵(ののし)りあったり、争いあったりしないで、あるべき姿でいよう。そうすれば私たちのリトアニアは明るく幸せだろう。銃撃を忘れて、歌おうではないか」。

無抵抗の市民を虐殺したソ連の行動が世界にニュースとなって伝わった。西欧諸国がリトアニアに味方しただけではない。ロシアの最高会議議長だったエリツィンがエストニアにやってきてバルト諸国の改革派への支持を伝えた。翌週にはラトビアでもソ連軍が内務省の建物を攻撃した。ラトビアのカメラマンら5人が死亡した。現場の建物の外壁には今も銃弾の痕が残る。

ラトビアのガイドのナステビッチさんによると、リトアニアでソ連軍の動きを見たラトビア人が車を飛ばして帰国しニュースを伝えた。農民たちがトラクターで首都の中心部に乗り付け、トラクターをバリケードに使った。それ以前からもソ連軍が侵攻してくるという恐怖は1年間にわたって続いていた。侵攻してきたときを「ゼロ・アワー（零時）」と呼び、そのときにどうするかを市民が話し合った。「非暴力・非協力を貫こう」と誓い合った。

騒然とした中、リトアニアでは独立をめぐる国民投票が行われ、９０％が賛成した。エストニア、ラトビアでも国民投票が行われ、圧倒的多数が独立に賛成した。

この1991年の8月にモスクワでクーデターが起き、ゴルバチョフが拘束された。ソ連軍はバルト三国に出動し、タリンの港などを武力で封鎖した。エストニアの議会はソ連軍の侵攻に備えてバリケードを築いた。ソ連軍のバルト軍管区司令官は非常事態を宣言し、バリケードを解くように要求した。

これに反発したエストニア議会は8月20日、エストニアの独立を決議した。翌21日、ソ連のクーデターが失敗したことが明らかになったとたん、ソ連軍は包囲を解き、逃げるように撤退した。ラトビアではソ連軍が放送局を去る時、市民はラトビアの民謡「あなたにさようなら」を繰り返し歌った。

この日、リトアニアとラトビアも独立を宣言した。念願の独立をついに達成したのだ。

8月23日、リトアニアの首都ビリニュスの広場にあったレーニンの像の周りに大勢の市民が集まった。人々の見守る中、クレーンで吊られたレーニン像がゆっくりと台座からはずされ倒れた。人々は両手を挙げて歓声を上げた。同じことがラトビアでもエストニアでも起きた。

それから数日間は世界各国が次々にバルト三国の独立を承認した。9月になってついにソ連もバルト三国の独立を承認した。1940年から半世紀を超えて続いて来た民族の悲願は、51年後についに達成された。

■新たなロシアの脅威

リトアニアのガイド、シモーナさんは「独立を達成した直後に私たちがまず行ったのは、教科書から『ソ連』を消すことでした。『これまでの歴史は間違っていた』と、歴史の試験もなくなりました」と話す。戦後の日本で教科書に墨を塗ったのと同じことが、バルト三国でも起きたのだ。

独立したエストニアは1992年に新しい憲法を発効させた。ソ連に編入される前の憲法をもとにしながらも、ソ連時代の苦い経験から自由や民主主義、少数者の保護などを強調した。同じ年、リトアニアは国民投票で新しい憲法を承認した。ラトビアは翌年、1922年の憲法をそのまま復活させた。

ソ連圏を脱してすぐに変化したのが経済政策だ。国営企業の民営化、国有だった土地や建物の私有化が急速に進んだ。しかし、長年にわたって社会主義経済に慣れてきただけに、社会も個人も資本主義の市場経済にすぐには移行できなかった。必要以上に労働者を雇用していた国営企業は、民営化で大量の労働者をクビにした。このため大量の失業者が出た。シモーナさんが日本語のガイドになるために日本語を勉強するようになったのも、日本語なら仕事があると言われたからである。

モノが不足したまま物価が野放しに上昇したため、インフレが進んだ。ラトビアでは１９９５年に最大の銀行が倒産した。リトアニアでも最大の銀行二つが破産状態となった。

これまで対外的な経済関係の相手はソ連邦の国がほとんどだったが、ドイツやスカンディナビア諸国など西欧、北欧に向きを変えた。軍事的には１８０度変わった。バルト三国は２００４年、これまで対立してきた北大西洋条約機構（ＮＡＴＯ）に加盟した。ソ連の西側への最前線だったのが、逆にロシアに対する西側の最前線に変化した。同じ年、欧州連合（ＥＵ）に正式に加盟した。完全に西側の一員になったのだ。

問題は、国内に残るロシアの影響である。

ロシアが２０１４年にウクライナのクリミアを併合した。それはバルト三国にとって他人事ではなかった。というのもウクライナではクリミア半島の住民の多数派だったロシア人が決起してクリミア共和国の独立を宣言し、ロシアがこれを承認してロシアに編入する形をとったからだ。同じことがバルト三国でも言える。エストニアやラトビアの東部、ロシアとの国境地帯にはロシア人が多数派の地域がある。彼らが独立を宣言し、それを受ける形でロシアが併合することが充分にありうる。

１９４０年にバルト三国がソ連に編入されたあと、ソ連に反発する市民が大量にシベリアに送られ、その代りにロシア人が５０万人以上も入って来た。その人々と子孫が今なお住んでいる。

今、ラトビアの全人口のうち、ラトビア人は６０％に過ぎない。ロシア系の住民が３３％を占める。７％がユダヤ人だ。首都リガではロシア人が過半数を占め、ラトビア人は４１％の少数派に過ぎない。市長さえロシア系である。クリミアをロシアに奪われたウクライナの悲劇は、バルト三国にとっても他人事ではないのだ。

そもそもエストニアとラトビアの領土の東部分は第2次大戦後、強制的にロシアに譲渡させられた。力ずくで奪われた地は両国の領土の９％に当たる。日本で言えば九州がそっくり他の国に奪われたことになる。そこに代々住んできた人々にとっては、自分の土地が突然、他国の領土になったのだ。そんなのひどい、と叫びたくなるではないか。

■死と太陽

ラトビアの首都リガの街並みは、まるで建築学の博物館だ。１９世紀後半に広まったユーゲントト・シュティール（アールヌーボー）様式の奇抜な装飾の建物が並ぶ。最も装飾に満ちた建物の設計をした建築家の名をミハイル・エイゼンシュテインという。映画「戦艦ポチョムキン」で名高いロシアの映画監督セルゲイ・エイゼンシュテインの父親だ。

ここに掲げた写真は、エリザベテス通りに面した建物の最上部だ。巨大な人面が左右を見渡す。奇抜かつ優美さが感じられる。これもミハイルの作品である。

エイゼンシュテイン（父）が設計した
アールヌーボー建築

それよりさらに古い14世紀の建物を再建したのが「ブラックヘッドの会館」だ。首都の市庁舎前の広場に面して三角屋根の5階建てのゴシック建築が並ぶ。奇抜な形に加えて色も赤レンガと白い石が組み合わされており、ひときわ目立つ。

正面の壁にはラトビアの四つの州を表わす四つの紋章と4体のギリシャ神話の神々の像が並び、その上に青と金色の丸い時計が掲げられている。この会館は中世のハンザ同盟の時代に商人たちの友好の場だった。いわば商工会議所といったところだ。第2次大戦の際にナチスの空襲で破壊されたが2000年、元の姿に復元した。

建物の前の石畳に雪印のような模様を入れた八角形の石が埋め込んである。日本語を含む8ヵ国語で「リガに初めてクリスマスツリーが登場したのは1510年」と書いてある。

当時、森から伐り出した大木をこの広場に放置したところ、市長の娘が枝におもちゃを飾り付けた。それからは毎年、クリスマスには木を切ってクリスマスツリーとし、飾り付けをするようになったという。だからラトビアの人々は、クリスマスツリーに飾り付けをする世界の習慣はラトビアで生まれたと自慢する。

クリスマスにつきもののサンタクロースは聖ニコラウスのオランダ語シンタクラースがなまった名前だ。エストニアの聖ニコラス教会の礼拝堂には「死の舞踏」の板絵がある。法王や皇帝らが豪華な衣装をまとって並んで立つが、彼らの間には死の象徴である骸骨が一体ずつ入って人間の手を引っ張って踊る。どんな権力者でも死は免れないのだというメッセージだ。絵は縦1メートル60センチ、横は7メートル50センチもあり、壁の一面に広がる。タリン生まれの画家が15世紀に描いたものだ。

死と逆の生を象徴するのが太陽だ。ラトビアのアールヌーボーの建物の壁には、ひし形の中に菊のような模様を描いた浮き彫りがあった。太陽の女神を象徴しているという。リトアニアのカウナスの市庁舎に近い女子修道院の庭に、高さ8メートルもの十字架が立っていたが、十字を囲むように太陽の光が取り巻いていた。キリスト教が伝わる以前の土着の自然宗教の影響だという。

バルト三国のうち自然宗教が最も根づいていたのはラトビアだが、宗教行事の中でも一番重要なのは夏至祭だった。夏至の日は太陽を迎え入れ、送りだすさまざまな儀式がある。この夜だけ植物のシダが黄金の花を咲かせると言われ、花を探そうと森に入る人もいる。ラトビアの真夏は日の出が午前4時半、日の入りが午後10時半で、白夜だ。一方、長い冬の間は太陽を見る時間が稀になる。太陽を崇拝する気持ちは日本人よりも切実だ。

太陽といえば、バルト海の特産は「太陽の石」と呼ばれる琥珀（こはく）だ。樹の樹脂がかたまったこの宝石は、黄色を帯びた飴色（あめいろ）に光る。ローマ帝国の時代からバルト海の琥珀は有名だった。ローマに琥珀を運ぶための「琥珀の道」ができたほどだ。現在のロシアのサンクトペテルブルクを起点に、ラトビアのリガを通ってポーランドからハンガリーを抜け、イタリアのベネチアに至る。エジプトのツタンカーメンの墓の副葬品にもバルト海産の琥珀があった。

カウナスの女子修道院にある太陽の光が取り巻く十字架

■前を向いて歩く民

バルト三国の旅を終え、タリンの港で大型のフェリーに乗った。対岸のフィンランドの首都ヘルシンキを目指す。船はメガスター号。２０１７年に建造されたばかりで、白と緑の船体がまぶしい。全長２１２メートルで乗客の定員は２８００人、８００台の車を乗せることができる。１０階建てのビルがそのまま海に浮かんだ感じだ。午後7時半、夜のバルト海に向けて出航した。ヘルシンキに着くのは2時間後だ。

バルト海を見つめながら、いっしょに乗船したフィンランド人の話を聴いた。バルト海は海なのに塩分が０・５％しかなく、舐めても塩辛くない。潮の満ち干も感じられないという。背後の広大な大陸のいくつもの川から真水が注ぎ込むからだろう。バルト海の出口はスカンディナビア半島とデンマークのあるユトランド半島にはさまれた狭い海峡である。全体が広大な湖のようになっている。

そう、バルト海は「北の地中海」ともいうべき存在だ。地中海が古来、交易の舞台だったのと同じように、バルト海も周辺の人々が海路を行き来した。8世紀から１１世紀にかけて活躍したのがヴァイキングだ。武装船団に乗り込んで周辺の地で交易し、商談がまとまらなければ襲撃した。現在のロシアの地にノヴゴロド公国を建設したのも彼らだ。当時としては珍しく市民が政治に発言権を持つ共和国のような制度を持っていた。

13世紀には「北方十字軍」が西からやってきた。自然崇拝をしていた「異教徒」をキリスト教化しようとデンマーク王が十字軍を率いて侵攻し、エストニアの地に城を築いた。「デンマーク人の城」を意味するターニ・リンと呼ばれ、これがタリンに変化した。

続いてドイツ騎士団などドイツ系、スウェーデン系の十字軍がやってきた。彼らを迎え撃ったのがノヴゴロドのアレクサンドル公だ。エイゼンシュテインの映画『アレクサンドル・ネフスキー』に描かれたネヴァ河畔（かはん）の「氷上の戦い」で勝ち、「ネヴァ河の勝利者」と言う意味で「ネフスキー」と呼ばれロシアの英雄となった。すでにこの時代からバルト一帯はロシアとドイツの争奪の地だったのだ。

その後はロシアが進出してきたが、北からスウェーデンが侵攻しエストニアとラトビアは一時スウェーデンの支配下に置かれた。これに脅威を感じたロシアがデンマークやポーランドと組んでスウェーデンに挑んだのが大北方戦争（だいほっぽうせんそう）（1700～21年）だ。勝利したロシアはバルト海沿岸を支配下に置き、ピョートル大帝は西への進出の拠点をラトビアのリバウ港に置いた。日露戦争のときにバルチック艦隊が出航したのがこの港である。

ピョートル大帝のあとロシア帝国を率いた女帝エカテリーナ2世は、元はバルト海に面した現在のポーランド領シュチェチンで生まれたドイツ人である。父はドイツの前身プロイセンの軍の少将だった。母の兄がロシアの女帝の婚約者だった縁でロシア皇太子の妃となり、夫へのクーデターを起こして皇帝の地位を奪った猛女だ。

こうした歴史の流れの中でバルトの民は、西や東や北から侵攻してきた強大な勢力の支配下に組み込まれながらも、その独自性や伝統を失うことなく生き抜いて来た。

最後に訪れたエストニアで、この国に住む日本人からエストニア人の国民性を聞いた。「過去を振り返るより、前を向いて歩く人が多い」という。エストニアではＩＴ産業が盛んだ。無料でのネット電話サービスのスカイプを産んだのもこの国だし、２００５年から選挙は電子投票にしている。国民全員がＩＤを持っている。投票は締切の直前まで変更が可能だし、あっという間に集計される。年配の人たちには政府がパソコンの使い方のセミナーを開いている。サイバー攻撃が取りざたされるロシアとの最前線だけに、ここにはＮＡＴＯのサイバーテロ防止機関の本部がある。大学にはサイバーセキュリティ学科がある。

こうして見ると、大国にはさまれて脅威も問題も抱えつつ、未来に向けて動いているのが見て取れる。デジタルだけでなく、過去から連綿と続く歌と連帯という独自のアナログな絆もしっかりと保っているのが強みだ。今後も４〜５年ごとに開かれる歌の祭典が民族の結束を確認していくだろう。歴史的に悲惨な目にあったことを教訓とし、内から湧いた抵抗の精神を核に、バルトの民は太陽を求めて生き抜くだろう。

国会を包囲した2015年夏の12万人集会

終章

分断の新自由主義から連帯の時代へ

――世界から日本へ――

1 「コロナ」から見える不平等社会

■「コロナ」で広がる格差

2020年に入ったとたん、世界の人々が苦海に突き落とされた。コロナ禍が地球規模で蔓延したためだ。世界保健機関（WHO）がパンデミック（世界的流行）と認定したのは3月11日だ。2011年の東日本大震災と同じ日、世界に災厄が降りかかった。

コロナ禍が発生した中国をはじめ、台湾やベトナムなどアジアでは早い段階で抑え込んだ。しかし、ヨーロッパに広がり、アメリカでは爆発的ともいえるほど急速に拡散した。

その大きな理由がホワイトハウスによるコロナ禍の過小評価である。トランプ大統領は「たいした問題じゃない。いつものインフルエンザよりましだ」と言って、なんら有効な対策を講じなかった。国民の多くも大統領の言葉に引きずられて危機感を抱かなかった。感染が広がってもトランプ大統領は移動の制限をちらつかせたり引っ込めたり、場当たり的な対応だ。「少し暖かくなればウイルスは奇跡的に消え去る」「消毒液を注射してはどうか」などと非科学的な発言を繰り返した。株式市場が値下がりして初めて外出の自粛を国民に求めたが、その期間が終わらないうちから経済活動の再開を口にした。すべてにわたって人命よりも経済発展を優先したため、最悪の結果を招いた。あげくの果てに自分が感染した。

ウイルスはだれにも感染するが、だれもが命をなくすのではない。多くの人々が感染の恐怖にさらされたが、別荘にこもることができる富裕層は恐怖を感じなかったし、感染しても会員制の高度な医療を受けることができた。大企業の経営に影響が出れば、政府からそれに見合う財政援助を受けた。コロナ禍といっても富裕層は痛くもかゆくもなかった。

しかし、感染を覚悟で密集地に出なければ生活が成り立たない貧しい層は違う。客が来なくなった飲食店やホテル、劇場などは休業や閉店に追い込まれ、収入が激減した。従業員はクビになったり給料を減らされたりした。アメリカでは3月中旬から4月初めまでのわずか3週間で実に2200万人が職を失った。

ところが同じ期間に、アメリカで資産を10億ドル以上持つ億万長者の資産の合計は、2820億ドル（約30兆円）も増えた。シンクタンク「政策研究所（IPS）」が統計に基づいて発表した数字だ。なかでも通信販売のアマゾンやインターネットによる会議のズームなどIT関連の企業は、通販や在宅ワークが増えて需要が増し、株価が上昇した。

彼らが利益を末端の労働者に分配し社会に還元するならまだしも、アマゾンの労働者は感染対策もろくにされないまま現場労働者が危険な状態で働かされている、と訴えてストをした。金持ちは危機を利用して懐を肥やし、そこに雇用される人々が使い捨てされる。これがあるべき社会だろうか？

不公平、不公正が進むと社会はゆがむ。政策研究所は、アメリカで最も裕福な大金持ちのうち8人を、非難の意味を込めて「パンデミック・プロフィターズ（感染症の世界的流行で大儲けをした人たち）」と呼ぶ。

さらに政策研究所がその後も調査したところ、巨大なIT企業の億万長者は6月初めまでの2ヵ月半で資産を61兆円も増やしていた。その間の失業保険の申請数は4260万人にのぼった。

アメリカは格差が顕著な社会だ。それが是正されるどころか、コロナ禍で差はますます拡大した。

■人種で犠牲者に違い

コロナ禍は人種による格差も見せつけた。米疾病対策センター（CDC）の2020年7月の調査結果を見ると、コロナ禍でどのような人々が最も被害を受けたか、が一目瞭然だ。

アメリカの人種構成は白人60％、黒人13％、中南米のヒスパニック系18％だ。ところが、コロナ禍のために亡くなった人を人種別に見ると、白人35％、黒人25％、ヒスパニック系24％である。普通なら死者の60％を白人が占めるはずなのに、その半分にとどまっている。白人の犠牲者が少ない分、黒人とヒスパニック系が多い。

65歳未満の死者を見ると違いはいっそう明らかだ。白人は18％に過ぎないが、黒人は30％、ヒスパニック系は34％である。アメリカ社会の中で割を食っているのが非白人であり、彼らがコロナ禍の犠牲となっていることがわかる。

在宅勤務ができる仕事に就くことの多い白人は感染を免れたし、給料もそのまま支払われ続けた。しかし、飲食店や小売業、街の清掃など現場で働かざるを得ない非白人はそれだけリスクが高く、被害をまともに受けた。住環境でも、白人の多くは1戸建ての家に住むが、スラムのようなところに住む黒人や、大家族がいっしょに住みがちなヒスパニック系は、感染の機会が高かった。ソーシャル・ディスタンス（社会的距離）をとれと言われても無理なのだ。さらに水道の施設が整ってなく水道料金を払えなかった家庭では、手を洗えと言われても現実にはそのつど洗うことができなかった。

高齢者を見ると、もう一つの構造が浮かぶ。死者の3分の1は介護施設で亡くなった。集団感染したのだ。そうなった理由を分析すると、経済的な問題に行きつく。施設の運営予算が削られ、職員にマスクや手袋が支給されなかった。施設ができた当初こそ入所者は手厚く扱われたが、やがて利益が出ないと思った経営者は経営権を投資会社に売った。

このため経営は入所者本位ではなく、金儲けの手段となった。高い給料が払われるベテランの職員はクビになり、給料が低くて済む未経験の若手が雇われた。しかも、彼らはまともな介護教育どころか衛生の知識も教育されないまま現場につかされた。当然、コロナ禍に対する配慮を欠くことになり、コロナに感染したことに気付かないまま仕事をしたため、高齢者に集団感染したのだ。

こうしてみると、アメリカで死者が大量に出た原因は、政治と経済の仕組みがもたらした人災だとわかる。有料の介護施設に入ることができたのは、それなりの中産階級以上の高齢者だった。弱者のみならず大半の中産階級も切り捨てられたのだ。社会に中間がなくなり、ほんの一部の上層と大多数の下層への分離が進む。

■新自由主義経済の不平等

コロナ禍が目に見える形であぶりだしたのは、非情な新自由主義の経済だ。富める者はますます富み、貧しいものはますます貧しくなる。アメリカではかねて「アメリカン・ドリーム」が喧伝(けんでん)された。だれでもがんばれば億万長者になれるし、すべての人にチャンスがあると言われた。成功した者は本人の能力と努力の成果だと称えられ、成功できなかった者は頑張らなかった自分が悪いと自己責任を問われた。しかし、夢を実現できるのはほんの、ほんの一部に過ぎない。1％は成功するかもしれないが、あとの99％の人々には地獄が待っている。

スタートラインが同じなら、それも納得できるだろう。しかし、最初からしてすでに差があるのだ。教育環境が整った者と劣悪な環境に生まれて学校にも行けない人が、同じ基準で比べられるだろうか。親の莫大な資産を受け継いだ金持ちの子と、親の借金を引き継いだ子と、同じ夢を見ることができるだろうか。

いわば、400メートルのトラック1周競走をするときに、「自分の足でなく何を使ってもいい、自由だ」と言われるようなものだ。金持ちはスポーツカーを使って走る。中産階級は日ごろの乗用車を使う。貧しい層は自転車だ。極貧層は自分の足で走るしかない。こうなれば、だれが勝つかは最初から明らかだろう。

それでいながら「スタートラインは同じだから公平だ」と言えるだろうか。そして、たたかいに勝った者は、自分の持てる力を発揮した、と言い、それをもって負けた者を「努力を怠った者」として切り捨てる。理不尽ではないか。

利益を得ている人々は言い訳するように「トリクルダウン（滴り落ちる）理論」を持ち出した。金持ちの富はやがて貧しい人々にも滴り落ちるのだから、貧しい人々にも利益をもたらすのだという。しかし、金持ちは富を自分だけで握りしめてこぼさないからカネが溜まるのだ。トリクルダウン理論は、言い出したアメリカのレーガノミクスで破綻が明らかとなった。なのに、日本ではそれをまねた安倍首相によるアベノミクスが、取り巻きメディアによって正しい理論のように流布された。おこぼれに期待する人々も後を絶たない。

新自由主義とは、経済を市場の自由に任せきりにし、政府は関与しないという立場をとる考え方だ。アメリカのシカゴ学派の経済学者が言い出し、グローバリズムによって世界に広められた。一口に言えば、弱肉強食の経済システムである。強いものが弱いものに勝つ。

しかし、同じ人間同士なのだ。人間が人間を食い物にする社会がまっとうであるはずはない。いつか破綻する。裕福な1%に支配され虐げられた99%の人々が声を上げ、不公正なシステムを覆すだろう。事実、それが人間社会の歴史だった。そして21世紀に入ると、虐げられた層の反乱は目に見える形で、世界各地で沸き起こった。

■「無」医療国家アメリカ

朝日新聞の特派員としてアメリカのロサンゼルスに2年半ほど暮らしたことがある。街の中心部には銀行や保険会社の高層ビルが立つ金融街があり、すぐ近くにはホームレスがたくさん住む、さびれた元商店街があった。貧富の格差を絵に描いたような光景である。

赴任に当たって耳にしたのは「恐怖の医療体制」だ。もし交通事故に遭って救急車が来ても乗らずに携帯電話でタクシーを呼んで病院に行け、と言われた。救急車に乗れば法外な運送費を要求されるからだ。救急車で運ばれた人に聞くと、現場から病院まで7万円だったという。病院をたらいまわしされたら、そのつど次の病院まで7万円かかるとも。聞いているうちにめまいを起こしそうになる。さらに救急車が来ても、けが人の身なりが貧しそうだったら運ぶ前にクレジットカードを持っているかどうか確かめる、あるいは置き去りにして去るともいう。安心して交通事故にも遭えない社会だ。

マイケル・ムーア監督が映画「シッコ」で、アメリカ医療のゆがみを正面から取り上げた。大工が仕事中に電動のこぎりで指を2本切断した。指をくっつけてもらおうと病院に行って手術代を聞いて目をむく。1本の指をつけるだけで100万円以上する。医療保険に加入してなかったため、こんな高額になる。ならばふだんから保険に入っていればよさそうなものだが、アメリカには公的な医療保険の制度が整っていない。民間の保険に入るには高い保険料を払わなければならない。だから無保険の人が多いのだ。

そのあと救急車で運ばれた女性が画面に出てくる。交通事故に遭って病院に運ばれたが、保険に加入していたのに保険会社から救急車の代金の分は払えないと言ってきた。その理由が驚く。「救急車に乗る前に保険会社に通知がなかった」というのだ。彼女は「事故で意識不明になっている私が、電話をかけられるわけないでしょ」と怒る。保険会社はいざとなったら払わない。儲けることしか考えないのだ。

どうしてこんなひどい社会なのか。背景にあるのが社会保障の民営化だ。国家が国民の医療福祉を守るという役目を放棄し、民間に任せた。民間の保険会社は株主のために利益を追求し、加入した市民に負担を押しつける。派手な広告と甘い言葉で保険に入ろうと国民に呼びかけるが、いざ保険に入ってしまえば加入者に保険金を出ししぶる。

保険会社は保険金を払わないため汚い手を使う。保険を払うほどの病気ではないという診断を出した医師には、保険会社が報奨金を出す。画面に登場した医師は、「本当は手術が必要な患者だったのに、保険会社の意向に沿って手術を断った。このため彼は死んでしまった」と告白する。医師や保険会社員は人の命を救うのでなく企業に利益を生むことを目的とするのだ。

こんなことがあるたびに、国民皆保険など公的医療保険の制度を取り入れるべきだという声が出るが、そのたびに政治家たちは「それは社会主義だ」と主張して国民の声を退けた。保守的な共和党だけではない。大統領選挙に出馬した民主党のヒラリー・クリントンも最初は国民皆保険の制度の創設を主張していたが、保険会社から多額の献金を受けて主張を引っ込めた。

こうして民間の保険会社に国民の福祉が丸投げされ、保険会社はひたすら金もうけに走る。企業に貢献した政治家は保険会社の社長に天下りして年収2億円の幸せな生活を手に入れる。

これって、国民の命を売り渡して自分の懐を肥やすってことではないか。賄賂を受け取るのと同じではないか。こうした政治家が自分の利益のために国民を犠牲にする。

この映画が作られた２００７年の時点でアメリカには保険に入っていない国民が４７００万人もおり、アメリカの健康保険の充実度は世界で３７位に転落した。

■欧州の医療態勢

では、ヨーロッパはどうか。ムーア監督はイギリスに飛んだ。英国には国民保険サービスというシステムがあり、税金で国民の医療費をまかなう。薬はどんなに多くても患者が負担するのは１２００円だけ。病院を訪れてマイケルが医師や患者に治療費はいくらかかるのかと問うと笑われた。「無料だ」と彼らは言う。それどころか、窓口では病院に来るための交通費を病院が患者に払い戻す。アメリカでは患者がカネを払うのに、イギリスでは病院が患者に払うと聞いてムーア監督は仰天する。

ここでムーア監督は観客に問いかける。思えば、アメリカだって学校の教育は無料じゃないか。アメリカの郵便料金は世界でも安いので有名じゃないか。図書館に行けばただで本を貸し出してくれるじゃないか。つまりアメリカだって「社会主義」になっている部分はあるじゃないか。だったら、どうして医療をそうしないのか、と静かに問う。

次にフランスに飛んだ。フランスでも国がカバーする保険があり、医療費は無料だ。腫瘍の手術で3ヵ月休んだ労働者に3ヵ月分の給料がそっくり支払われる。国から65%、35%は企業からだ。そればかりか、普通のサラリーマンでも2ヵ月から2ヵ月半の夏休みがあり、パートの労働者でさえ5週間の有給休暇がもらえる。そう法律で決まっている。国から家政婦が派遣されるシステムもあり、子どもの世話は1時間たった120円だ。食事も作ってくれるし洗濯もしてくれる。そう聞いたムーア監督は「ちょ、ちょっと待ってくれ。国が洗濯もしてくれるのか」と驚く。パリに住むアメリカ人は、アメリカでなくフランスに住んでいてよかったと口々に語る。

これらの国では税金で医療費をまかなっている。アメリカ政府は国家予算で軍事費には巨大な費用を使っても、国民の医療には使わない。税金をどこに使うかに国家の哲学が現れる。アメリカという国は国民を切り捨て「自己責任」を押しつけ、ひたすら軍備の増強に走る。誰のための国家か、誰のための政府で何を目指す国かと問われれば、アメリカは会社のための国家であり、金持ちのための政府で、軍事を最優先する国家である。

では、どうしてヨーロッパではここまで国が国民の面倒を見るようになったのだろうか。アメリカと何が違うのか。画面にはフランスの市民によるデモ行進が映る。「アメリカでは民衆が政府を恐れているが、こちらでは政府が民衆を恐れているのだ」というナレーションが入る。政府がおかしなことをしたとき、フランスの国民は黙っていない。それが国民のための政府、国民のための政治を生み出した、とムーア監督は結論する。

そうだ、黙っていてはいけないのだ。おかしいと声を出し行動することが国民の側に立った政治を作り出すのだ。

うーむ、うーむとうなりながら画面を見つめていると、見慣れた風景が出てきた。ロサンゼルスの中心部にあるホームレス地区だ。冒頭で述べた地域である。カネを払えない患者を病院は車でひそかにこの地区に運んで路上に捨てた。捨てられた患者が泣く。これが世界の超大国のすることか……。

■キューバの医療

ムーア監督は最後にキューバを訪れた。9・11のテロで倒壊したビルに入って被災者を救出したため健康を害した人々に対して、アメリカ政府は何も手を差しのべない。その彼らのうち3人を一緒にキューバに連れて行って治療を受けさせようと考えたのだ。

画面には、キューバの首都ハバナにそびえる高層ビルの病院が出てくる。キューバが誇るアメイヘイラス兄弟記念病院だ。私も見学したことがある。病室はゆったりとして清潔で、何より医師や看護師が陽気でいい。入りたくなるような病院である。ムーア監督は受付に3人を連れて行って治療してもらえるかとたずねた。名前と誕生日を告げると、それだけで治療してもらえた。町を回るとブロックごとに薬屋があり、アメリカで120ドルつまり1万4000円だった薬が、たった5セントつまり6円である。トランクに入るだけ買って帰りたいと、ムーア監督が連れてきた女性は言う。

ここでムーア監督は叫ぶ。「キューバは世界最悪の地、最も邪悪な国だと我々は45年間も聞かされてきた。ところがキューバの医療は世界でも最高水準で、国民はもちろん外国人でも無料で治療が受けられる！」。その通りである。キューバは日本よりも早く心臓手術を行ったほど医療水準が高い。金持ちしか病院に行けなかった時代に、だれもが病院に行き無料で治療を受けられる国にしようというのが、キューバ革命の目標の一つだった。

「シッコ」が上映されたのは2007年だったが、今でもキューバ医療は世界の最高水準である。2020年の9月初めの段階でキューバのコロナ禍の感染者は3617人、死者は89人だ。キューバの人口は東京都とほぼ同じ1100万人である。同時期の東京の感染者は2万1128人、死者は364人だ。アメリカに至っては感染者約570万人、死者18万人という途方もない数になった。

キューバでなぜコロナ患者が少ないのか。それは発生した時の機敏な隔離措置はもちろん、日ごろから医療を重視し予防医療に徹しているからだ。キューバでは人口1000人当たりの

ベネズエラで働くキューバ人医師
＝2012年、カラカスで

医師の数は8・7人である。日本は2・6人だから、3倍も医者が多い。街のブロックごとに診療所があり、医師と看護師が一人ずつ常駐している。一人の医師が200世帯の医療を責任をもって診る。医師と看護師が毎日、受け持ちの家庭を巡回して病気にかからないよう声をかける。

コロナ禍では感染者が診療所に来るのを待つのでなく、医師が家庭をまわって熱をはかり、いちはやく感染者を探し出した。本人と濃厚接触者を2週間、隔離した。だから感染を食い止められたのだ。キューバは以前から自国だけでなく他国にも医療支援に出かけている。コロナ禍が蔓延(まんえん)したイタリアに早い段階で医師団を派遣した。

映像の最後にマイケル・ムーア監督は問い

かける。「人はみな、同じ船に乗った客だ。助け合うべきじゃないか」。そして彼は洗濯物をかかえてアメリカ議会の正面玄関の階段を上る。フランスのように、国に洗濯をしてもらおう、というデモンストレーションだ。この国の制度を洗いなおそうという意味を込めたのかもしれない。

■日本は？

見終わったあと、はて我が日本はどうなんだ、と考え込まざるをえない。

日本で患者が病院の窓口で払う医療費は、ヨーロッパの国々と比べて異常に高い。かつては患者にやさしい公的医療制度だったが、個人負担が増えてアメリカ型に近づいたのだ。

企業の利益を優先する新自由主義的な医療の改革は、１９９６年の橋本龍太郎政権の時代に本格化した。２００１年に発足した小泉純一郎政権は民営化を掲げ、公的医療費を出し渋った。患者の自己負担が目に見えて増加したのがこのときだ。さらに医療が軽視され病院の病床の削減や病院の統廃合が進んだ。イタリアで起きたことが日本でも進んだのだ。そしてアメリカで見られるように医療や介護の分野に営利企業が進出し、患者や施設の入所者のためでなく利益を上げるための経営が当たり前になった。人々は不安に陥り、民間の医療保険の契約者数が急激に増えた。

コロナ禍にさいして当時の安倍晋三首相は感染者のために5万床を確保すると言ったが、口先だけである。2020年5月の段階で1万7698床しかなかった。そもそも全国の感染症指定病床は1998年に9134床あったが、小泉政権が医療制度改革で病床数の削減を打ち出してから見る見る減り、2019年には1884床に激減した。重症患者用の集中治療室は人口10万人当たり5床ほどで、あのひどい状況に陥ったイタリアと比べても半分以下という粗末な状況だ。

そこで強調されたのが「自己責任」だ。自分のことは自分で責任を持てと言われればそうだと思いがちだが、だまされてはいけない。それは政府が国民に対する責任を放棄することだ。我々の税金を「思いやり予算」という名で米軍の駐留経費にあてながら、肝心の国民の命の面倒は見ない。これが我々の政府か。これが我々の目指すべき社会か。私たちは私たちが払う税金をそのように使われて、なお黙っているのか。

コロナ禍で安倍首相は突然、全国の学校のいっせい休校を発表して教育現場を大混乱に陥らせた。感染者が一人もいない県まで休校にしたのだ。専門家の意見も聞かず、文科省にも図らない独断専行だった。

安倍政権のコロナ対策の象徴がアベノマスクだ。日本で最初の発症者が出たのが1月16日だったが、その対策として政府が国民にマスクを配ると発表したのが2ヵ月半後の4月1日だ。世界から「エイプリル・フール」の冗談だと受け取られた。嘘ではないとわかると世界が驚き、苦笑した。経済大国の日本が国民1世帯当たりマスク2枚だけ？

それもマスクの輸入と配布に怪しい業者が絡み、巨大な経費を使った。配られたマスクは異常に小さく、国民はもちろん、安倍政権の閣僚さえ使わない。その後、国民に給付金を出すようさんざん言われ、ようやく一人当たり10万円を出したが、額も少ないしなかなか届かなかった。

安倍政権は戦後最長の7年8ヵ月にわたった。この間、大企業の法人税は引き下げられ株価は高値を維持し、富裕層はさらに富裕になった。一方で実質賃金は増えず、消費税が5％から8％さらに10％に上がり、社会保険料も増え、一般国民の生活は貧しくなった。中流層を貧困化させたのがアベノミクスだ。おかしいじゃないかという声が上がった。

おかしいと思ったら、どうするか。それはムーア監督が映画の中で明確に示している。ヨーロッパの市民のように主張することだ。私たちの社会を変えるのは私たちしかいない。

2　新自由主義に立ち向かう世界

■アメリカの変化

アメリカで静かな「革命」が進んでいる。

２０１１年９月、アメリカのニューヨークで若者たちが金融取引の中心地、ウォール街を占拠した。学費を払えなくなった学生や家賃を払えず家を追い出された人々が抗議の矛先を金融街に向け、公園に集まって寝袋で泊まり込み、デモを繰り広げた。最初は千人規模だった。見ず知らずの若者たちが話し合い、「総会」で合議し、方針を決めた。

かつては労組や学生組織が動員したが、今や自発的な個人が連帯する。彼らの言い分が伝えられると、最初は冷ややかだった世間が変化した。労働組合が支持しメディアや政治家が好意的な発言をするようになった。みんな、今の仕組みはおかしいと思っていたのだ。

運動は世界に広がり、１０月には世界一斉行動で日本を含む８２ヵ国・地域の９５１ヵ所で抗議行動が展開した。共通する主張は「金持ちは1％、我々は99％」「富める者に税金を、貧しい者に食べ物を」というスローガンに表れる格差の是正だ。危機に陥った大銀行は税金で救済されるのに、税金を払う貧しい人々は見捨てられているという不満が爆発した。

下地は欧州にあった。政府の緊縮政策に反発してギリシャで労組のストが続いた。スペインではその年の5月から首都の広場を失業者が占拠してきた。その波が地球規模で広がったのだ。特徴的なのは、これまでデモをしたこともない若者たちが街頭に出たことだ。主張は「何でもあり」で、各地のさまざまな不満が噴き出た。

若者たちが行動する3年前にウォール街に突入した男がいる。あのマイケル・ムーア監督だ。2008年にアメリカの金融資本主義を痛烈に批判する「キャピタリズム／マネーは踊る」を世に出した。彼は「僕たちのカネを返してくれ」と「＄」を描いた袋を手に、ウォール街に突入した。金融の象徴、証券取引所の周囲に「犯行現場、立ち入り禁止」と書いた黄色いテープを張り巡らした。

映画を撮影中、警官がやってきた。逮捕されると覚悟したが、警官は「じゃんじゃんやってくれ。我々もヤツらの被害者だ」と言った。ムーア監督は「金持ちは自分たちの税金を下げさせるばかりか、自分たちを救うために僕たちからカネを奪おうとしている」と言い、貧しい人々に低金利で融資する国民銀行の創設を提唱した。

■社会主義に共感する若者

アメリカの政界に新しい風が吹いている。2020年の大統領選挙では、民主社会主義者を自称するサンダース上院議員が民主党の公認候補になりかけた。彼は大恐慌時代にニューディール政策を行って保守派から「社会主義者」と言われたフランクリン・ルーズベルト大統領の後継者を自負する。国民皆保険や学生のローン債務の免除などを主張した。

2018年の中間選挙では史上最年少、29歳でヒスパニック系の女性オカシオコルテスさんが連邦下院議員に当選した。政治団体「アメリカ民主社会主義者」のメンバーで「労働者階級の代表」と名乗る。大学生のときに父が亡くなり、家のローンを支払うためにバーテンダーやウエートレスをして働いた苦労人である。予備選挙で民主党の大物議員を破り、本選挙で共和党の現職にも勝った。彼女の主張を支持する層が増えたのだ。

驚くことに、2019年のギャラップ調査によると、アメリカ国民の43％が社会主義を良いものと考えている。アメリカで1981年以降に生まれ2000年以降に成人を迎えた世代を「ミレニアル世代」と呼ぶ。インターネットが普及した中で育ち、自己中心的であるが他者の価値観も受け入れ、仲間とのつながりを大切にする。そのミレニアル世代の7割が「次に選挙があれば社会主義者に投票する」と答えた。そもそも今の若者はソ連を知らない。彼らが生まれる前に崩壊してしまったから。社会主義への敵対意識がない。

米国に発した新自由主義は世界に格差をもたらし、金は神だと教えた。新自由主義の権化のようなトランプ大統領によって、アメリカの矛盾は極限に達した。経済優先を貫いた結果、アメリカのコロナ禍の死者はベトナム戦争の死者（約5万8000人）よりもはるかに多い。他の国が抑えたコロナ禍との闘いに、超大国は敗北したという挫折感がある。2003年には「アメリカ人であることを誇りに思う」と考える人が共和党員の86％、民主党員の65％を占めたが、2020年は共和党員の67％、民主党員に至っては24％に激減した。

ソ連は強権支配に加え、人工衛星を飛ばすカネはあっても国民がパンを買うために吹雪の中で列に並ばなくてはならなかった。だから国民から見放され、衛星諸国からは嫌われて崩壊した。ソ連が崩壊したのはアメリカとの軍拡競争に敗れた側面が大きい。本当なら国民の生活や福祉に当てる費用を武器の開発につぎこみ、ついには経済的にやっていけなくなった。

軍拡競争で勝ったアメリカにも、無理をしたツケがまわっている。航空母艦や戦闘機を建造するカネはあっても、国民の病気を治せない。今や他をよせつけない世界最強の軍事国家となると、こんどは中国と軍拡競争をする。ますます国民の福祉はおろそかになる。このままいくならアメリカもソ連と同じく崩壊するだろう。

アメリカの優れているところは、政府がひどくても国民に復元力があるところだ。東欧でも国民が連帯して立ち上がった。アメリカでも政治に「NO!」をつきつけるだろう。

■社会は存在する——イギリス

アメリカと同じようにコロナ対策で初期に失敗したのがイギリスだ。ジョンソン首相は当初、「集団免疫を獲得する」ことをコロナ戦略に掲げた。積極的な姿勢のように聞こえるが、要は「レッセフェール（なすがまま）」で、何も手を打たなかった。ヨーロッパの他の国が学校を閉鎖しスポーツ大会を中止した時期にも、イギリスではサッカーの大会や競馬の祭典をいつも通りに開催した。新型コロナの症状を訴える人に対しても「症状が重い人のみ病院で検査をするように」と通告した。この結果、猛烈な勢いで感染者が増えた。

ジョンソン首相自身が油断していた。欧州連合（EU）からの離脱という長く続いた懸案をようやく解決したのが1月末だ。ホッとして12日間の長期休暇をとった。コロナが拡がる時期に、政府は開店休業の状態だった。その後も欧州大陸との関係を断ち切ったという思いから、コロナ対策で各国と協力どころか連絡もとらなかった。これでイギリスのコロナ対策は大きく出遅れた。

その後も大きな懸案を解決し満悦の気分で病院を訪ねてコロナ患者と握手し、病気をものともしない強い指導者を演出した。その結果、自分がコロナに感染してしまった。それも入院の翌日には集中治療室に入れられ、一時は助からない可能性があった。

身をもってコロナの怖さを体験したジョンソン首相は、態度を一変した。自己隔離中に国民に対するビデオメッセージで「私たちはいっしょにやって行こう。コロナウイルスの危機が証明したのは、社会というものがまさに存在することだ」と語った。イギリス人はこれを聞いて耳を疑った。それまでのジョンソン政権の政策を180度転換する意味が込められていたからだ。

この言葉は「鉄の女」と呼ばれたサッチャー元首相が語った言葉の否定である。サッチャーは1987年に「社会なんていうものは存在しない。あるのは個々の男たちと女たち、家族である」と語った。個人主義、自己責任の考え方の極致にある言葉だ。彼女は戦後の労働党の政権が社会福祉政策をすすめたために「英国病」が広がってイギリスの経済が停滞したと主張し、新自由主義の経済政策を急ピッチで進めた。社会福祉を切り捨て、緊縮財政で「小さな政府」に徹し、民営化を推し進めた。同じ時期にアメリカのレーガン大統領も新自由主義を唱えたため、世界が一足飛びに競争社会の新自由主義に染まった。いわば世界を新自由主義にした旗振り役である。

そのサッチャーの後継者を自認し「新自由主義の申し子」と言われたのがジョンソン首相だ。先にマイケル・ムーア監督が映画で示したように、イギリスにはかなり整った国民保健サービス（NHS）があり、誰でも無料で医療を受けられる。ジョンソン首相は就任以来、それをつぶそうとした。

ところがコロナから生還したジョンソンは退院したさいに、「我々の国民保健サービスを守れ」と発言した。「国民保健サービスは、この国の最良の部分だ」とも称えた。実際、自分の命を救ってもらった感謝の気持ちもあるだろうが、国民に向けてわざわざ発言するということは、今後の政治姿勢を変えるという明確な表明にほかならない。

しかも、それまで専門家の声に耳を傾けなかったのが、以後は専門家の意見を聞き、感染抑止のため店を閉鎖するよう政策を転換した。経済的に被害が出た自営業者や従業員には給与の8割を国が保証すると約束した。コロナで被害を受けた企業に助成金や無利子のローンなど経済支援をするとも語った。「小さな政府」から「大きな政府」への転換宣言である。

病院に入る前と出たあとでは別人ではないかと思えるほどの変身だ。その風貌や政策から「イギリスのトランプ」と言われたジョンソン首相がコロナのおかげで改心し、新自由主義を捨てた、と言われた。

コロナ禍を機に、今の世界をおかしくした新自由主義の一角が崩れた。

■新自由主義の限界

コロナ禍の世界でいっせいに噴出したのが新自由主義への批判だ。とりわけ感染者、死者ともに多かったフランスでは強かった。日本でもベストセラーとなった『21世紀の資本』を書いたフランスの経済学者トマ・ピケティ氏は英紙ガーディアンのインタビューで、深刻な格差是正のため先進諸国が国民の生活保障を使命とする「社会国家」を取り戻すことが必要だと主張した。大企業を巻き込んだ公正な課税システムの構築が求められるという、かねての持論を展開した。各国がコロナ禍の経済的被害者に出した給付金の財源は富裕層への課税で賄うべきだという意見だ。さらに、社会の平等を達成するためには、「大きな社会的、政治的動員が必要だ」と運動論にも言及した。

同じくフランスの人口学者で、ソ連の崩壊やイギリスのEU離脱、アメリカのトランプ政権の誕生を予言したことで知られるエマニュエル・トッド氏は朝日新聞のインタビューでコロナ禍について「被害は甚大でも、『突然に引き起こされた驚くべきこと』ではない。SARS(重症急性呼吸器症候群)やエボラ出血熱など近い過去に感染症はあり、警鐘を鳴らす専門家はいました。多くの国が直面している医療崩壊は、こうした警告を無視し、『切り詰め』を優先させた結果です。時間をかけて医療システムが損なわれたことを今回のウイルスが露呈させたと考えるべきでしょう」と語る。たしかに、専門家が大規模な感染症を予想したのに沿って集中治療室を増大したドイツでは、被害を抑えることができた。

そして「庭付き別宅を持つ階層と、庭なしの自宅に住む階層との間ではリスクが違います」「私たちは、医療システムをはじめとした社会保障や公衆衛生を自らの選択によって脆弱にしてきた結果、感染者を隔離し、人々を自宅に封じ込めるしか方策がなくなってしまった。その先でこのように貧富の格差による感染リスクの差が生まれているわけです」と指摘する。さらに語った。「これまで効率的で正しいとされてきた新自由主義的な経済政策が、人間の生命は守らないし、いざとなれば結局その経済自体をストップすることでしか対応できないことが明らかになった」。コロナ禍は新自由主義の限界をさらした、というのだ。

世界的な法学者ミレイユ・デルマスマルティ氏がフランスのルモンド紙に寄稿した。「私たちは同じ船に乗っている。共通の羅針盤が必要だ。感染症の流行は人類がそう気付くための最後の機会なのかもしれない」。「私たちの社会がどれほど相互に依存するようになっているのか。危機ははっきりと示して見せた。もうどんな国も自分だけではやりくりできない。課題が気候変動であれ保健衛生であれ、国家の主権は連帯し合う時代が来ている」（朝日新聞2020年3月29日付）。今や国境を超えて国民も政府も、連帯し合う時代なのだ。

■連帯と団結の違い

イタリアの物理学者パオロ・ジョルダーノを第1章で紹介した（67〜68ページ）。「今回の新型ウイルス流行は、この世界が今やどれほどグローバル化され、相互につながり、からみ合っているかを示すものさしなのだ」と語った彼の言葉を、今一度思い起こしたい。中国の内陸で発生した感染症が、ほんの1ヵ月でヨーロッパに飛び火し、さらに大西洋を越えてアメリカ大陸に広がった。まさにウイルスは電光石火（でんこうせっか）の速さで地球を飛びまわった。

人類は人種や国籍、思想信条などに関係なく、誰もが等しくコロナ禍の恐怖を感じた。こうしたときにどうすればいいのか。それを具体的に示したのがフランスの作家アルベール・カミュだ。1947年に著した小説『ペスト』は、ペストの感染が拡大したフランス領アルジェリアの街を舞台に、危機の下で暮らす人々を描いた。

街は封鎖された。今風に言えばロックダウンされた。たまたまこの街を訪れていたジャーナリストはパリの恋人に会いたいため、医者に虚偽の診断書を書いてくれと頼む。しかし、医者は職業倫理から拒否する。この医者が主人公だ。彼は人々がパニックに陥っている中で一人落ち着き、「自分の職務を果たす」ことに誠実であろうとする。それを聞いてジャーナリストもこの街にとどまる決心をする。フランス文学者の堀茂樹（しげき）さんは、それを「個人的に幸福になることより、人びととの連帯を選択するのである」と表現した。

同じくフランス文学者の海老坂武さんは朝日新聞への寄稿でこう語った（2020年5月15日付）。「『連帯』という言葉がこの社会ではまだ生きていることを知る。路上生活者や難民への支援を始めとして、具体的な支援運動が立ち上げられた。また毎晩八時になると、周囲の窓辺やテラスに人影が現れる。皆が一斉に拍手をして医療従事者や欠かすことのできぬ仕事に携わる人々への感謝と連帯感を示す。……ここにあるのは『孤立の中での連帯』の表明である。フランス語では一文字を入れ替えると『孤立』は『連帯』になる（solitaire/solidaire）。これを語ったのは『ペスト』の作家、アルベール・カミュだった（『追放と王国』）」。

そして「コロナ後」を見通して語る。「『文明の再創造』『人類共同体の意識』という、コロナ危機以後を展望する提言も出されている。いずれも、以前の世界に戻ってはならぬという訴えだ。端的に言えば金よりも健康、経済よりも環境、そして社会的不平等の撤廃ということだ」。

ヨーロッパでは「コロナ後」を見据えた議論が沸いている。目指すべき方向も見えている。元の社会に戻すのでなく、「新たな日常」の創造だ。産業革命以後の「生産条件」優位から「生存条件」が優位となる社会への転換である。それを「グリーン・リカバリー」と呼ぶ。

3　連帯する日本の市民運動

■インターネットの威力

イタリアのパルチザン、ドイツやチェコで自由を求めて管理社会に抵抗した人々が身をもって示したもの。それがまさに自立した個人による連帯だった。そして、日本も埒外ではない。その動きはすでに起きている。

安倍政権の末期、検察庁法をめぐる政権の強硬な姿勢を止めたのは、一般市民が発信した洪水のような量のツイッターだった。世界の歴史を動かす市民の力はすでにインターネットを駆使する時代に入り、急激に驚くほど多くの人々と連帯することができるようになっていた。ようやく日本もそうした時代に入った。

安倍政権は閣議だけで黒川弘務・東京高検検事長の定年を延長し、国会で検察庁法を変えて追認しようとした。コロナ禍の対策に全力を挙げるべきときに、自らの権力基盤の強化を目指す「不要不急」な行為だと野党は抵抗した。政権はいつものように数で押し切ろうとしたが、その意図をくじいたのは市民の力だ。

　これまでのように街頭を埋めたデモや集会ではない。１０００万を超えたと言われるツイッターの投稿である。かつて１９６０年の安保闘争の時代に、当時の岸信介（のぶすけ）首相は「声なき声」という言葉で世論が自分を支持していると強弁したが、今や市民はインターネットにより具体的な「声」で応じた。

　きっかけは一人の女性が放ったツイートだった。「#検察庁法改正案に抗議します」の訴えに大勢の人々が応えた。瞬（またた）く間に数百万件となり、投稿数の多い「トレンド」の第1位になった。その後も新たに「#検察庁法改正案を廃案に」のツイートが投稿され、「ツイッターデモ」の継続が提起された。

　国会前で展開した抗議のデモに参加した市民も、手にしたプラカードや横断幕に「#検察庁法改正案に抗議します」の文字を掲げた。コロナ禍で大勢が密集して街頭に繰り出すことが困難な中、活動の場を街頭からインターネット上に移した格好だ。

　こうした動きが強気一本やりだった安倍政権の体制内部を付き崩し、法案成立を断念させた。政府は当初、「世論のうねりは感じない」（政府高官）と冷ややかだったが、世論調査で内閣の支持率が急落したのを見て事態を認識し、態度を一変させたのだ。

■もうたくさんだ

インターネットを使って市民が情報を共有し立ち上がったことでは、北アフリカで独裁政権を次々に倒した「アラブの春」が名高い。きっかけは２０１０年にチュニジアで起きたジャスミン革命だ。警官から暴行を受けて抗議の焼身自殺をした青年の映像がフェイスブックで流れ、怒った市民が暴動を起こした結果、２３年続いたベンアリ独裁政権が倒れた。

その動きは周辺の国にも飛び火し、２０１１年には地域大国のエジプトで３０年続いたムバラク独裁政権を、さらにリビアでも４２年続いたカダフィ独裁政権を倒した。

その２０１１年に米国のニューヨークで起きたのが、先に挙げたウォール街占拠事件だ。警官が女子学生に催眠スプレーをかけた映像がユーチューブに流れてから人々が注目し、支持を得た。ツイッターで支持は膨らみ、予想もしなかった大規模な運動が展開した。

同じ米国で２０１８年には、フロリダ州の高校での銃乱射事件で生き残った高校生が銃規制の運動に立ち上がった。全米各地の若者が「#EnoughIsEnough（もうたくさんだ）」のハッシュタグをつけてネットでメッセージを発信し、首都ワシントンの目抜き通りを８０万人が埋め尽くす抗議デモに発展した。

米国の運動はそれぞれの問題の解決には至らなかったが、問題を提起することには成功した。豊かな社会にも虐げられた弱者が多数存在し、いざとなればインターネットを通じて連帯して立ち上がることを見せつけた。その力が同年の米国下院議員選挙でニューヨーク州に史上最年少のヒスパニック系女性議員オカシオコルテスさんを生み、さらに2020年の大統領選挙でサンダース候補の健闘を支える力となったのだ。

韓国では2016年、当時の朴槿恵（パク・クネ）大統領に対する民衆総決起があった。10月末の土曜日に首都ソウルの光化門（クァンファムン）広場を埋めた市民は3万人。翌週の土曜は30万人、その翌週は100万人と膨れ上がった。1ヵ月半後の第6回には170万人、韓国全土で232万人を数えるに至って国会が大統領弾劾決議を上げ、翌年の憲法裁判所による大統領罷免につながったのだ。

このとき夜の集会に参加した市民は手にロウソクを掲げたため「ロウソクデモ」と呼ばれたが、ポケットにはスマホがあった。集会の様子をスマホで撮影し、すぐさまネットで流した。それを見た人々がさらにネットで拡散したため、短期間でこれだけ多くの人々が集まったのだ。行動を提起したのが「参与連帯」など市民組織だった。

韓国で特徴的なのは、若者だけでなく年配者もスマホを使うことだ。その数年前、韓国では「人差し指対親指の闘い」があった。若者は親指を使って瞬（また）く間に発信するが、年配者は人差し指をいかにも不慣れに扱い時間をかけて発信する。しかし、どちらがより多く発信したか調べると年配者の方だった。このため「人差し指が親指に勝った」と言われた。日本と違って、年配者もインターネットを駆使した。当時の事情に詳しい韓国の李京柱（イ・キョンジュ）・仁荷（インハ）大学教授（憲法）に聞くと、「韓国では日本よりスマホの普及が４～５年早かった。ネットの世界でこの差は大きい」と語った。

■デジタル・デモクラシー

この当時、日本の市民運動には若手のシールズなどを除いて、インターネットをここまで活用する動きはなかった。運動の担い手の多くが年配者で、スマホを持っている人は少なかった。

しかし、日本の市民運動の担い手の名誉のために記そう。このとき李教授から聞いた、もう一つの言葉がある。韓国で１００万人規模の人々が集まった理由の一つに、その前年に日本から韓国に流れてきたニュースがあったという。

２０１５年夏、日本では「戦争法」と呼ばれた安全保障関連法案に反対し、１２万人の市民が国会を包囲した（本書１８７ページの写真）。それを聞いた韓国の反政府派の人々から「あのおとなしい日本人が立ち上がった。われわれは何をしているのか」という声が上がった。それが翌年の１００万人規模の集会に実る一つの要素になったというのだ。

とはいえ日本と韓国では運動のエネルギーが違う。韓国の反政府派の市民は命をかけて権力に体当たりでぶつかる。韓国を代表する知識人で漢陽（ハニャン）大学教授だった故・李泳禧（リ・ヨンヒ）氏に「韓国の人は日本と違って、なぜこうも元気なのでしょうか？」と素朴に質問したことがある。

李氏は即座に言った。「当たり前ですよ。われわれ韓国人は、あのひどい軍政時代に市民が血を流して闘い、自らの手で民主主義を獲得しました。だから自信を持っています。日本の歴史で、市民が自分の力で政権を獲得したことが一度でもありますか」。その通りだ。

その強烈なエネルギーに、さらにインターネットという武器が加わったのだ。

「ブロードバンド大国」と呼ばれた韓国では2000年、一般市民が記者となって記事を流すインターネット新聞「オーマイニュース」が誕生した。2002年の大統領選挙では市民がインターネットを駆使して運動を繰り広げた。それが革新派の盧武鉉（ノ・ムヒョン）政権の誕生につながったといわれる。「オーマイニュース」自体は盧武鉉政権の失墜（しっつい）とともに人気が低落し閉鎖されたが、一般市民が自らの発信により民主主義を担う発想を具体化した意義は大きい。こうした動きを玄武岩（ヒョン・ムアン）・北海道大学大学院教授（社会情報学）は「デジタル・デモクラシー」と呼んだ。

■能力を出し合う

市民がインターネットを使って政治を具体的に変えた歴史は、1990年代にさかのぼることができる。世界をまたにかけたＮＧＯ地雷禁止国際キャンペーンの働きかけによって１９９７年、対人地雷全面禁止条約（オタワ条約）が成立した。軍備の縮小といえば政府の交渉によるのが常識だった時代に、市民が主導して軍縮を実現させた。

　当時はパソコンを使うのは一部の人で、一般市民にインターネットはまだ広まっていなかった。「ウインドウズ９５」の登場が大騒ぎになった時代だ。電話やファクスが幅を利かせていたころに、米国で地雷廃絶を求めるＮＧＯが生まれた。それを核に、インターネットのメールによって世界の市民運動が連絡し合った。

　このためわずか数年で世界各国に１７０以上のＮＧＯが立ち上がり、それぞれが自国の政府に働きかけた。カナダは政府が積極的に対人地雷を禁止する条約を提案した。日本でもＮＧＯ地雷廃絶日本キャンペーンが当時の小渕恵三政権に働きかけた。それが奏功して日本も条約の当初の署名国になった。現在、１６０ヵ国以上が条約を締約している。

　地雷禁止国際キャンペーンと初代コーディネーターの米国女性ジョディ・ウィリアムズさんは１９９７年、ノーベル平和賞を受賞した。その翌年、私は彼女に会って取材した。大柄で太い腕を持つ、いかにもたくましい女性だ。内戦後の中米エルサルバドルで復興のボランティア活動をしていた際、地中に残っていた地雷で傷つく人々が多かった。戦争が終わってからも人を殺傷する兵器など許せないと考え、この運動に取り組んだと言う。

インターネットの能力をどうやって身に付けたかと問うと、意外にも「私はメールもろくにできませんでした」と彼女は答えた。「メールもできなくて、どうしてインターネットを駆使できたのですか?」と問うと、「ネットに詳しい友人と連携した」と言う。つまり運動を提唱する人と拡散の技術を持った人が連帯したら世界的な運動に広がったのだ。一人の人間がすべてをやる必要はない。それぞれの能力を出し合って連帯すればいいのだ。

ジョディ・ウイリアムズさん
＝1998年、東京で

広報活動で世界の人々に影響を及ぼす市民運動の展開の流れは1971年、フランスに誕生したNGO「国境なき医師団」にさかのぼる。「人類史上まれにみる悲劇」と言われ、ナイジェリアからの独立戦争で約200万人の死者を出したビアフラの内戦（1967～70年）時に、医療活動する医師とジャーナリストが創設した。医師の救護活動をジャーナリストが広く報道することで問題の存在とNGO活動の様子を世界に伝え、世論の関心を飛躍的に高めた。

■グレタの法則

今日、気候変動をめぐってスウェーデンの少女活動家、グレタ・トゥンベリさんが国際的な運動を繰り広げている。２０１９年９月、世界一斉デモ「世界気候ストライキ」の最終日、グレタさんはカナダのモントリオールで５０万人を前に、「歴史を通じて社会の最も重要な変化は、草の根の人々から起きた。私たちは世界を変えている」と語った。

彼女が自国スウェーデンの国会の前に座り込んでストライキを始めたのは１５歳の２０１８年だった。同じ年に起きた米国の高校生の銃規制運動に刺激されたのがきっかけだ。ストライキをする姿がカメラマンに撮影され、フェイスブックとインスタグラムに投稿されたことから世界の注目を浴びた。彼女自身が主張を英語で語る姿がユーチューブで視聴され、数ヵ月で世界の２７０都市でストライキが起き、２万人以上が学校ストライキをした。たった一人の少女の行動が、ＳＮＳによってまさに地球全域に拡散したのだ。

ツイッターやフェイスブックなどをＳＮＳと呼ぶ。Social Networking Service（ソーシャル・ネットワーキング・サービス）の略で、ソーシャル（社会的な）ネットワーキング（連絡網）をもたらす仕組みだ。それまでの口コミや印刷物、街頭集会と違って、瞬時に地球の反対側にまでも情報を運び、見知らぬ人に影響を与える。

それにしてもＳＮＳがなぜこれほど政治の流れにインパクトを与えたのだろうか。ここで思い出すのが、ニュートンの「運動エネルギーの法則」の $K=\frac{1}{2}mv^2$ という公式だ。運動エネルギーの強さ（Ｋ）は質量（ｍ）と速さ（ｖ）の２乗に比例する。

グレタさんが発信した言葉は、「あなた方〔大人世代のこと〕は私たちの未来を盗んでいる」「変化をもたらすのに未熟すぎるなんてことはない」など、端的で強烈だった。つまり質量が大きい。そのうえＳＮＳという急激な速度が加わり、かつての時代には考えられない衝撃をもたらした。

社会的には弱者に分類される１０代の一人の少女が世界を動かしたという点で象徴的だ。無名の市民でも明確で力強い主張を持ち、周囲を巻き込んでＳＮＳを駆使するなら、物理の原理にのっとって瞬時に世界を動かすことができる。

私はこれを「グレタの法則」と呼びたい。アルキメデスはテコの原理を応用して「地球を動かしてみせる」と言ったと伝えられるが、「グレタの法則」によって地球上の人々を動かすことが可能になった。

今やＳＮＳによる市民運動が世界を動かしている。インドネシアでは１２歳の少女メラティさんが始めたプラスチックごみをなくす運動が世界に広がった。日本でもグレタさんに呼応する「気候ストライキ」が2019年に行われた。最初は約20人だったが「気候マーチ」と名を変えて全国各地で行い、4回目には約5000人が参加した。神奈川県横須賀市では石炭火力発電所の建設中止を求める大学生たちが2020年、グレタさんと連帯する団体「未来のための金曜日　横須賀」を設立した。

かつては労働組合や学生自治会など、組織が成員に呼びかけて集会やデモが行われた。動員された人々はリーダーが呼びかけるシュプレヒコールの文句をそのまま繰り返す、縦社会の運動だった。今や、違う。老いも若きも個人が自分の判断で参加し、自分の考えを主張する。そこから新たな緩(ゆる)い組織が生まれる。自立した人間の横の連帯だ。

コロナ禍でデモや集会がしにくく、「三密」を避けるため会議や講演会もできなくなったが、それがかえってオンラインでの会議や集会を促進し、ネットを使いこなす市民を急速に生んでいる。動画配信のサイトを利用する人が急増している。かつては敬遠していた日本の高齢者もスマホを覚え、オンライン会議に挑戦するようになった。

あとで振り返ってみると、コロナ禍が日本の市民運動をアナログからデジタルに変え、分断の新自由主義から連帯の時代へ飛躍するきっかけになった、と言われるかもしれない。

おわりに

今の日本は先進国としては稀な「ものを言えない社会」だ。自由な社会と言いながら同調圧力があり、個人が意見を言い出しにくい。権力者が不都合な者を排除するのは、さながらソ連の影響下にあった東欧革命前の東ドイツのようだ。

人は孤立すれば無力感に陥る。しかし、連帯すれば社会を人間的に変えることができる。私が欧州をめぐる歴史の旅で目の当たりにしたのは、その事実だった。

ドイツ・チェコの旅から帰国した直後の2019年12月、アフガニスタンで一人の医師が銃撃され命を失った。戦災と飢餓で苦しむ難民のため献身的に尽くしたペシャワール会の中村哲医師である。

中村医師はその35年も前から現地に行き、人々を治療した。他の医師が手をつけたがらないハンセン病を担当し、内戦下で爆撃機が上空を飛ぶ中、難民キャンプに診療所を開いた。病気の根本の原因が貧困や飢餓だと気づいて農業に目を向け、砂漠に24キロもの大規模な用水路を建設した。地元の400人と力を合わせ、6年5ヵ月の歳月をかけたのだ。10万人が暮らせるようになり、難民や傭兵が農民となって故郷に戻った。

中村さんの行動は一人の人間が持つ力の大きさと影響力を実感させる。内戦に明け暮れたこの世界の片隅に単身赴き、忘れられた人々のために尽くしたのが一人の日本人であったことを、同じ日本人として誇りに思う。彼の信念を受け継ぐことこそ、私たちの使命だろう。

紛争のきっかけは1979年のソ連軍アフガニスタン侵攻だった。イスラム勢力は聖戦を掲げてソ連と戦った。イスラムの武装組織に武器を供給したのはアメリカだ。ここから生まれたテロ組織アルカイダが2001年、アメリカで9・11テロを起こした。武力を使えば、刃はやがて自分に向けられる。

超大国の対立が平和な国を混乱に引き入れた。超大国に次ぐ中国も軍事力や強権支配で相手をねじ伏せようとする。しかし、そのやり方こそが世界に紛争を広めたのだ。中村さんのやり方は違う。誰もが安心して生きて行ける社会を築こうとした。国連で言われる持続可能な開発目標（ＳＤＧｓ）の見本のような動きである。その目標達成への方法は現地の人々と手を携えること、まさに「連帯」だった。

２１世紀になって矛盾が噴き出てなお世界の国々は身勝手で、地球環境が蝕まれる。権力者は国民を分断し、１％の人々の利益を図って９９％を置き去りにする。そのときに持ち出すのが自己責任の論理だ。人々を個々に分断する、支配者に都合のいい考え方だ。

大切なのは弱い立場にある国民が手をつなぐことだ。かつては「団結」と言われた。しかし、「団結」には組織に統制され個人の動きを許さない硬さがある。今は違う。自由で自立した個人が有機的に横につながる柔軟な「連帯」の時代だ。縦社会の日本に欠けていたのが横の関係だ。国民一人一人が自由、人権、民主主義を基盤に、公正と公平を旨とした社会正義を基本に据え、自立した個人による横の連帯を広げることが新しい社会を生む。国境を越えて連帯するなら、地球規模で社会を変える力になる。

この本ではイタリアの伝統的な自立と人々のつながりがある社会、ドイツやチェコ、ポーランドで自由を求めて無血革命を成功させた非暴力の連帯運動を紹介した。さらにバルト三国で歌と「人間の鎖」でソ連の圧迫をはねのけたことを知れば、勇気が湧くだろう。コロナ禍で世界がどのような状況にあるのかを知れば不安を払拭し、再生の未来に向けて自信をもって行動できる。

コロナ禍、さらに続く別の感染症や災害を克服するためにも、必要なのは「連帯」だ。カミュが言ったように、フランス語では一文字を入れ替えると「孤立（solitaire）」は「連帯（solidaire）」になる。孤立から連帯に文字を入れ替える時代だ。

ソ連軍がアフガニスタンに侵攻した１９７９年、アフガン同様にソ連が支配していた東ドイツで強権支配に対する市民の抗議行動が始まった。それはちょうど１０年後の１９８９年に東欧革命として結実した。今日の世界の変化は、ここを起点とする。

歴史を変えるキーワードが人々の「連帯」だったことは、象徴的である。対立の時代や「アメリカ・ファースト」など孤立の時代は、もう過去のもの。私たちはどう生きればいいのか。立ち上がった東欧の人々や中村医師を見れば明らかだろう。

この本が、コロナ禍で不安におののく人々の光となり、未来を築こうと模索する若者に勇気を奮い起こすきっかけになれば本望である。

本書の出版を応援し原稿をていねいに見てくださった新日本出版社の田所稔社長、イタリア、ドイツ、チェコ、バルト三国をめぐるスタディツアーを企画・実行してくれた富士国際旅行社の太田正一社長と、具体的なプランを練って旅に同行し実りある成果をもたらしてくれた遠藤茜さん、ツアーに参加し共に学んだみなさん、今回も素晴らしい装丁を考案してくれた佐藤克裕さんに、深くお礼を申し上げたい。

2020年10月3日　東西ドイツ統一から30年目の日に　伊藤千尋

伊藤 千尋（いとう・ちひろ）
1949年、山口県生まれ。71年にキューバでサトウキビ刈り国際ボランティアに参加。73年、東京大学法学部を卒業、「東大ジプシー調査探検隊」隊長として東欧を調査する。74年、朝日新聞社に入社。東京本社外報部などを経て、84～87年サンパウロ支局長。88年『AERA』創刊編集部員を務めた後、91～93年バルセロナ支局長。2001～04年ロサンゼルス支局長。現在はフリーの国際ジャーナリスト。「コスタリカ平和の会」共同代表、「九条の会」世話人も務める。
主著に、『凜凜チャップリン』『9条を活かす日本――15%が社会を変える』『凜とした小国』『凜としたアジア』『辺境を旅ゆけば日本が見えた』『一人の声が世界を変えた！』（以上新日本出版社）、『世界を変えた勇気――自由と抵抗51の物語』（あおぞら書房）、『13歳からのジャーナリスト――社会正義を求め世界を駆ける』（かもがわ出版）、『今こそ問われる市民意識』（女子パウロ会）、『地球を活かす――市民が創る自然エネルギー』『活憲の時代――コスタリカから9条へ』（以上シネ・フロント社）、『新版 観光コースでないベトナム』『キューバ――超大国を屈服させたラテンの魂』（以上高文研）、『世界一周 元気な市民力』（大月書店）、『反米大陸』（集英社新書）、『たたかう新聞――「ハンギョレ」の12年』（岩波ブックレット）、『太陽の汗、月の涙――ラテンアメリカから問う』（増補版、すずさわ書店）、『燃える中南米』（岩波新書）など多数。

連帯の時代――コロナ禍と格差社会からの再生

2020年11月15日　初　版

著　者　伊　藤　千　尋
発行者　田　所　　稔

郵便番号　151-0051　東京都渋谷区千駄ヶ谷4-25-6
発行所　株式会社　新日本出版社
電話　03（3423）8402（営業）
　　　03（3423）9323（編集）
info@shinnihon-net.co.jp
www.shinnihon-net.co.jp
振替番号　00130-0-13681

印刷　亨有堂印刷所　　製本　小泉製本

落丁・乱丁がありましたらおとりかえいたします。

ISBN978-4-406-06336-4 C0095　Printed in Japan